D1240537

Les orphelins

Rémi et Luc-John

TOME 1

Jean-Baptiste Renaud

Les orphelins
Rémi et Luc-John

TOME 1

ROMAN

David

Catalogage avant publication de Bibliothèque et Archives Canada

Renaud, Jean-Baptiste 1951-, auteur
Les orphelins / Jean-Baptiste Renaud.

(14/18)
Sommaire : Tome 1. Rémi et Luc-John.
Publié en formats imprimé(s) et électronique(s).
ISBN 978-2-89597-436-9 (vol. 1).– ISBN 978-2-89597-489-5 (vol. 1 : pdf). – ISBN 978-2-89597-490-1 (vol. 1 : epub)

I. Titre. II. Titre: Rémi et Luc-John. III. Collection: 14/18

PS8635.E5222O77 2014 jC843'.6 C2014-906842-5
C2014-906843-3

Les Éditions David remercient le Conseil des arts du Canada, le Secteur franco-ontarien du Conseil des arts de l'Ontario, la Ville d'Ottawa et le gouvernement du Canada par l'entremise du Fonds du livre du Canada.

ONTARIO ARTS COUNCIL
CONSEIL DES ARTS DE L'ONTARIO

Les Éditions David
335-B, rue Cumberland, Ottawa (Ontario) K1N 7J3
Téléphone : 613-830-3336 | Télécopieur : 613-830-2819
info@editionsdavid.com | www.editionsdavid.com

Dépôt légal (Québec et Ottawa), 4e trimestre 2014

À Jacynthe Dubé,
pour ses premières lectures
et ses précieux conseils,
t'es mon Amour…

Prologue

Depuis le temps qu'il m'ennuyait avec ça...

– Grand-papa, insista le jeune, qui ressemblait à sa grand-mère comme deux gouttes d'eau. Il faudrait prendre le temps de l'écrire pour nous autres et pour tous ceux qui vont suivre.

« Je ne suis pas à veille de mourir. Ils pourront toujours l'entendre de vive voix », pensais-je. Quand même, après un bout de temps à ressasser mes souvenirs et à ordonner des pans de ma vie dans ma tête, j'en arrivai à croire qu'il avait peut-être raison. Ma vie n'avait peut-être pas été si ordinaire.

Je me revis à la fenêtre givrée, près du poêle de la maison en bois rond de mon enfance. En passant, ma mère me caressait les cheveux.

– Papa s'en vient...

CHAPITRE 1

À cause de mon père

J'attendais impatiemment le retour de papa du chantier forestier. Son retard nous inquiétait. Habituellement, il revenait avant la fonte des neiges. Je l'imaginais à son arrivée. Il aurait la barbe longue, les yeux pétillants et afficherait un large sourire. Il rugirait de bonheur. Son rire gras, clair et sonore, si familier, amènerait un sourire à mes lèvres. Il n'arrêterait pas d'embrasser ma mère et me serrerait si fort dans ses bras que j'en perdrais le souffle. Il ne cesserait de répéter combien il s'était ennuyé de nous et jurerait par tous les saints qu'il ne nous quitterait jamais plus pour si longtemps. Tout excité, il sortirait de son gros sac, comme un joyeux père Noël, cadeaux et petites gâteries qu'il aurait achetés au magasin général avant de rentrer à la maison.

Je passai des heures devant la fenêtre, à scruter l'horizon dans l'espoir qu'apparaisse sa grande silhouette chaussée de raquettes, avançant à grandes enjambées, presque au pas de course. Mais j'eus beau regarder à en avoir mal aux yeux, aucune figure ne se profila au loin ce jour-là. Personne. Il ne revint tout simplement pas.

Pour me donner du courage, je sortis jouer avec Champion, un cadeau de mon père, son dernier avant de partir au chantier. J'entendais encore ses paroles :

– Regarde comme il est beau. Il pourra t'accompagner quand tu feras le tour des collets de lièvre cet hiver. Comment vas-tu l'appeler ?

Je regardai le chiot qui glapissait tout excité en me léchant les doigts. C'était une belle bête au poil ras, blanc avec des taches marron et orangé, les oreilles tombantes assez larges et la queue naturellement courte. Tout de son comportement dégageait la fierté d'un gagnant. Sans hésiter, je répondis :

– Champion.

Au petit matin, lui à mes côtés, je me sentis en sécurité en forêt à inspecter les collets.

* *
*

C'était la crise économique de 1929 qui avait mené le beau Viateur Chartier, comme l'appelait ma mère, à s'établir dans le Nord. Alors que le chômage et la désolation régnaient partout ailleurs, dans notre coin de pays, un homme vaillant pouvait se tailler un petit royaume à la sueur de son front. Il lui suffisait de défricher et de cultiver une terre assez longtemps pour que la Couronne lui en cède les droits de propriété. Plusieurs entendirent cet appel à la richesse et tentèrent leur chance, avant de se rendre compte à quel point l'aventure était hasardeuse, cruelle et ingrate. La plupart se découragèrent après le premier hiver, abandonnant leurs terres durement acquises et retournant en ville plus pauvres qu'auparavant. Pas mon père. Il tint bon, bien décidé à prendre tout ce que son endurance physique pouvait débroussailler. Pourtant, il avait beau défricher un bon lopin et engranger une bonne récolte, l'argent ne suivait pas… Dieu sait que c'en prenait pour renouveler les denrées essentielles épuisées pendant l'hiver, comme le sel, ainsi que pour se procurer quelques mètres de tissu bon marché afin de renouveler notre garde-robe usée à la corde. Pour le reste, on vivait des produits de la terre, de la chasse et de la pêche.

Même si j'étais jeunot à l'époque, mon père s'attendait à ce que j'aide ma mère au jardin, à ce que je cueille des petits fruits sauvages l'été et chasse le lièvre aux collets l'hiver. J'étais tellement fier chaque fois que je ramenais un gros bocal de baies sauvages ou une belle prise à la maison. Les temps étaient durs, mais je ne me souviens pas d'avoir manqué de quoi que ce soit ni d'avoir été particulièrement malheureux ou en peine, sauf au décès de ma sœur. Elle naquit bien trop tôt, une fin d'été. Toute minuscule, elle survécut à peine à sa naissance. Le temps de la baptiser, on dut la rendre à son Créateur. Voir ce petit corps inerte au creux de la large main de mon père, qui reniflait doucement alors que de grosses larmes coulaient sur ses joues, m'avait profondément marqué. C'est la seule fois où je le vis pleurer.

Pour gagner des sous, mon père partait donc chaque automne pour le chantier et ne revenait qu'au début du printemps. Je devais avoir dix ans la dernière fois qu'il nous quitta pour le bois, quelques années avant la Seconde Guerre mondiale.

– Cet argent-là va arriver juste à temps, avait-il dit pour justifier son départ. Ça nous prend une nouvelle charrue pour l'an prochain, sinon on devra retourner en ville. C'est aussi simple que ça.

Le lendemain matin, il partit, accompagné des jumeaux Raymond.

* *
*

L'absence de mon père pendant les longs mois d'hiver nous pesait toujours énormément. Cette année-là, son retard devint un calvaire. Isolés sur une ferme, à des kilomètres du village, nous attendions avec impatience le dégel et l'ouverture des chemins pour partir à sa recherche.

Était-il toujours au chantier? S'était-il perdu en forêt? Avait-il eu un accident? Était-il blessé? Autant de questions sans réponse et nul moyen d'interroger les gens susceptibles de savoir ce qui lui était arrivé. Ma mère n'osait penser au pire, de peur de nous porter malheur. Puis, elle avait une autre crainte. «Serait-il parti à Montréal?» se demandait-elle, en dépit d'elle-même. Après des mois passés dans des conditions effroyables au chantier, elle savait que les hommes devenaient obsédés par l'idée de se payer du bon temps dans la grande métropole, pendant des jours et même des semaines, oubliant femme et enfants à la maison. Ne prenait-il pas un malin plaisir à la taquiner en lui racontant ses folies de jeunesse, fier comme un coq? «Asteure qu'il a une famille, mon Viateur ne ferait pas une chose pareille », se rassurait-elle. Et pourtant, le doute l'accablait.

Pour s'occuper, elle poursuivait ses travaux, reprisait les vêtements, réparait les chaussures, sans oublier de voir à mon éducation. Lorsque l'école du village devenait inaccessible dès la première tempête de neige, quelle joie j'éprouvais d'avoir ma mère pour m'enseigner la lecture, l'écriture et le calcul. J'étais assez fier de pouvoir écrire mon nom tout seul. Un de mes plus grands plaisirs était de feuilleter avec elle le Grand Atlas en images, l'un des rares livres de la maison. Nous passions nos soirées à rêver de voyager aux endroits les plus exotiques du monde.

– Imagine donc, mon p'tit loup, vivre dans un pays où il n'y a jamais de neige, me disait-elle émerveillée, alors que le poêle à bois ronflait en réponse aux bourrasques qui s'acharnaient sur notre petite maison.

Je la revois courbée, en train de raccommoder des bas de laine près de la fenêtre de cuisine. Elle s'arrêtait souvent, le temps de replacer une mèche rebelle. En réalité, c'était pour regarder par la fenêtre dans l'espoir de voir son homme arriver. Son espoir se transforma progressivement en désespoir. Puis une nuit, elle se réveilla en sursaut, tous les sens en éveil. Elle avait senti sa présence dans la pièce, me dit-elle. Il était si près et pourtant si loin. L'avait-elle rêvé ? Ça semblait si vrai. Elle resta éveillée dans le noir à écouter ma respiration endormie, en espérant sentir à nouveau sa présence. Mais non… Au matin, elle comprit qu'il ne reviendrait plus. Quelque chose de terrible avait dû lui arriver…

– Viens-t'en, me dit-elle alors. Si je reste ici une minute de plus, je deviendrai folle.

Elle attela la jument à la charrette et nous partîmes faire le tour des voisins en quête d'information. Nous arrêtâmes d'abord chez les Raymond pour parler aux jumeaux, Aurèle et Aimé.

Leur ferme était un modèle de réussite pour la région. M. Raymond, un petit homme nerveux, pour qui une besogne n'attendait pas l'autre, était arrivé dans le coin plusieurs années avant nous. Avec l'aide de sa grande progéniture, quatorze enfants, dont huit garçons, il avait réussi à transformer un brin de forêt dense, sauvage et rétive en une terre arable, riche et productive. La propriété comprenait plusieurs bâtiments, dont une grange avec un bœuf de trait, quelques vaches et des moutons, une porcherie avec des cochons bien gras, un poulailler où le coq régnait sur un harem impressionnant, et une écurie que partageaient deux chevaux : un Canadien pure race noir et un énorme Clydesdale bai, les pieds marqués de grandes balzanes et la tête ornée d'une large liste[1] entre le front et les naseaux. Seul Clydesdale de la région, cette bête impressionnante attirait le regard des curieux à chaque sortie. Cependant, la perle de toute l'installation était sans conteste la maison familiale nouvellement construite, avec la laiterie en pierre et le four à pain sis au sommet d'une colline offrant une vue impressionnante sur la rivière et le lac au loin.

– Un jour, me promit ma mère, ce sera comme ça chez nous.

---

1. Marque verticale sur le chanfrein du cheval, souvent blanche.

À notre approche, les chiens jappèrent. Une des filles Raymond sortit pour les calmer. En nous voyant, elle se précipita pour avertir sa mère. On était de la visite rare. En raison de la grande distance séparant nos fermes, on se voisinait peu. Mme Raymond insista pour nous recevoir dans son petit salon fraîchement tapissé et meublé d'un ensemble de fauteuils victoriens en noyer tout neuf. Elle était heureuse de pouvoir enfin l'étrenner en compagnie d'autres gens que Monsieur le curé. Dans la cuisine, sa fille prépara le thé et un plateau de biscuits. Tout ce tracas rendit ma mère mal à l'aise.

– Madame Raymond, c'est trop de dérangement. On est juste venu voir si les jumeaux n'ont pas des nouvelles de Viateur.

– Mais vous avez sûrement le temps de prendre une petite tasse de thé, insista-t-elle fermement, en souriant.

Puis, sans se soucier des objections, elle versa le précieux liquide dans de la fine porcelaine décorée de roses. Il était difficile d'imaginer qu'une femme si petite et jeune, aux gestes vifs, ait enfanté une si grande maisonnée. Les enfants couraient et jouaient partout, sauf dans le petit salon. Je voulus me joindre à eux, mais ma mère me retint.

– On ne restera pas longtemps, me chuchota-t-elle, alors que Mme Raymond lui présentait une tasse.

Avant d'y goûter, ma mère ne put s'empêcher de humer longuement le délicat parfum de forêt avec une touche amère et un fini doux. Les yeux fermés, elle savoura sa première gorgée. Un léger sourire se dessina sur ses lèvres.

– C'est de l'Orange Pekoe, déclara Mme Raymond, tout heureuse.

– Excusez-moi donc, dit ma mère, un peu gênée de laisser paraître à quel point nous manquions de tout à la maison.

Son embarras ne fit qu'accroître la sympathie de Mme Raymond pour sa voisine. Elle aussi avait connu de grands moments de privation.

– C'est très bon, ne put se retenir d'ajouter ma mère, avant de revenir à l'objet de notre visite. Je viens voir les jumeaux. Sont-ils déjà revenus du chantier ?

– Mon doux Seigneur ! Ça doit faire un bon deux ou trois semaines qu'ils sont de retour.

Ma mère lui conta la disparition de mon père. Les garçons sauraient-ils ce qui lui était arrivé ? Leur avait-il dit qu'il resterait au chantier plus longtemps ?

– Je ne le sais pas, ils n'en ont pas parlé.

Puis, s'adressant à sa plus vieille dans la cuisine, elle cria :

– Marie, cours au champ chercher les jumeaux !

Comme Marie ne se pressait pas assez vite à son goût, elle ajouta d'un ton sec :

– Enweille, pars... Qu'est-ce que t'attends ? Dépêche-toi donc un peu, tu ne vois pas que Madame Chartier a hâte d'avoir des nouvelles ?

Mme Raymond, qui ne pouvait pas s'imaginer vivre un instant sans son mari, resservit du thé et changea le sujet de conversation. Elle avait le don de raconter les choses les plus sérieuses du monde de la manière la plus amusante, ce qui fit rire ma mère aux éclats. J'étais heureux de la voir rire à nouveau, elle si gaie habituellement. Devant un auditoire aussi réceptif, Mme Raymond continua de nous régaler de ses anecdotes familiales, toutes aussi farfelues et croustillantes les unes que les autres. Elle parut un peu déçue de voir les jumeaux arriver.

Vêtus de salopettes et de bottes de travail, les deux jeunes n'osèrent pas franchir le seuil du salon, redoutant sans doute les foudres de leur mère, d'apparence si complaisante. Ils restèrent sagement à l'entrée pour répondre aux questions.

– Il n'est pas rentré chez vous ? demanda Aimé, qui avait peine à croire la nouvelle.

– Comme prévu, on a pris le camion de la compagnie pour revenir à la fin mars, ajouta Aurèle. Viateur est descendu à la gare de Saint-Pascal. Il avait entendu dire que le vieux Girard avait une charrue à vendre et espérait qu'il ne l'avait pas encore vendue. Il a dit de ne pas l'attendre, qu'il reviendrait à la maison par le chemin de fer. On ne l'a pas revu depuis.

Sur ces entrefaites, M. Raymond entra dans la maison. À son regard dur et à sa mauvaise humeur, on voyait bien qu'il n'était pas commode. Comment Mme Raymond, ce petit rayon de soleil jovial, avait-elle pu épouser un homme aussi sévère ?

– Coudon, les gars, qu'est-ce que vous faites ? demanda-t-il d'un ton bourru. Ce n'est pas en placotant toute la journée que vous allez réparer la clôture.

En voyant ma mère, il se radoucit un peu :

– Ah ! Bonjour, Madame Chartier. Je ne vous avais pas vue. Comment va Viateur ?

Sa femme l'informa de la disparition de mon père.

– J'ai affaire à Saint-Pascal demain, dit-il. J'arrêterai voir Girard en passant, pour avoir des nouvelles. Ça vous évitera de courir là-bas. J'enverrai l'un des jumeaux vous dire ce qu'il en est. S'il le faut, j'organiserai une battue avec les voisins. On suivra le chemin de fer et on fera le tour des sentiers de chasse à sa recherche. Je vous tiendrai au courant des résultats.

Pour lui, l'affaire était classée. Il se tourna vers les garçons et dit brusquement :

– Qu'est-ce que vous attendez ? Grouillez-vous, il faut qu'on finisse ça aujourd'hui.

Puis, il ajouta plus aimablement avant de partir :

– Inquiétez-vous pas, Madame Chartier. On va vous le retrouver.

En les quittant, ma mère se sentit mieux. « Enfin, quelqu'un pour m'aider », semblait-elle se dire. De là, on continua notre route jusqu'au magasin général, lieu de rencontre et de commérage du village.

– Bien, voyons donc ! réagit M. Desjardins, étonné de ne pas être au courant, lui qui normalement savait tout. Je vais en parler aux clients. Si j'entends quelque chose, vous le saurez. J'vais aussi leur parler de la battue que Raymond pense organiser.

Pour clore la journée, ma mère s'arrêta chez sa sœur, qui vivait près du village.

– Ah ! Tu parles d'une belle visite, nous accueillit tante Rose, ravie de nous voir. Si tu savais, Madeleine, comme tu me fais plaisir. Vous allez rester à souper, j'espère ?

Ma mère acquiesça, heureuse de l'invitation. Comme d'habitude, tante Rose portait une robe sans taille, au motif fleuri défraîchi. Le visage rond et joufflu, elle n'était pas grande, avait un petit rire nerveux et marchait en se traînant les pieds dans des mules usées. Lorsqu'elle me vit, elle s'écria, tout excitée, en prenant une boîte de biscuits en métal sur une étagère :

– Mon Dieu, comme tu as grandi ! Attends, j'ai quelque chose pour toi...

Tante Rose n'avait pas d'enfant. Pour compenser, elle cherchait toujours à me gâter. Quand elle ouvrit la boîte pour m'en offrir, quelle déception, il ne restait plus que quelques biscuits brisés. Mon estomac grondait. La collation de Mme Raymond était loin. Sans gêne, je pris ce qui restait. Les morceaux étaient vieux et durs, mais avaient bon goût.

– Viateur n'est pas là ?

Ma mère lui annonça la disparition de mon père et parla des démarches entreprises pour le retrouver.

– Je suis certaine qu'Albert va tout faire pour vous aider. Il est dans son atelier de menuiserie en arrière. Il devrait entrer bientôt et va être content de vous voir.

Ma mère sourit. Rose avait bon cœur. Repliée dans son monde, elle oubliait que les deux hommes se méprisaient. Une amitié de jeunesse qui avait mal tourné, apparemment.

– Viens, je vais t'aider à préparer le souper, offrit ma mère.

À l'heure du souper, Albert entra. C'est à peine s'il nous dit bonjour. Il s'assit à la table, pendant que Rose s'empressait de lui servir une bière maison. À son haleine, on sentait qu'il avait probablement une cachette dans son atelier. En entendant dire que mon père était descendu à la gare de Saint-Pascal avant de disparaître, il ne put s'empêcher de ricaner.

– Pendant des années, chaque automne, je partais avec ton père au camp de bûcherons, me confia-t-il en zézayant un peu. Laisse-moi te dire que quatre mois en forêt, c'est long… À la fin, on avait hâte d'avoir notre paie puis de sacrer notre camp à Montréal pour avoir du *fun*. À cette époque-là, ton père savait s'amuser. Ça pouvait durer des semaines. Oui, monsieur, on partait pour Montréal.

Oncle Albert me regarda comme s'il s'attendait à une réaction. Franchement, je ne savais pas quoi penser de sa révélation. Montréal, pour moi, ne signifiait pas grand-chose. Pour s'assurer que j'avais bien compris, il ajouta en me faisant un clin d'œil :

– J'ai ri tantôt, quand j'ai entendu dire qu'il avait été vu la dernière fois à la gare de Saint-Pascal, parce que c'est de là qu'on partait en train pour Montréal.

Ma mère s'arrêta de manger et le regarda avec mépris.

– Laisse-le faire, Madeleine, intervint Rose, inquiète. Ses paroles dépassent sa pensée… Je ne crois pas qu'il voulait dire…

– Ben quoi ? J'ai rien dit de mal, se défendit Albert. Je suis certain que Madeleine préfère savoir Viateur quelque part à Montréal plutôt que perdu ou mort gelé en forêt. C'est pas vrai ?

Avant qu'elle puisse répondre, il ajouta :

– Je dis pas que c'est ce qu'il a fait… Mais, remarque bien, ce serait normal qu'un gars qui aime fêter comme lui fasse une folie une fois de temps en temps.

– ALBERT GAUDREAULT, je suis bien tannée de toujours t'entendre parler en mal de Viateur, répliqua ma mère en colère, la voix tremblante.

– Bien quoi ? Si on peut plus rien dire asteure. Tabarnouche, je disais rien que…

– Si tu dis encore un mot Albert, coupa ma mère, je te garantis que tu vas le regretter. Viens, Rémi. Ramasse tes affaires, on s'en va à la maison.

Malgré elle, l'allusion ranima sa crainte. Son homme l'aurait-il abandonnée ?

* *
*

La nuit était tombée. Heureusement, c'était un soir de pleine lune, car la lanterne éclairait peu. Nos ennuis commencèrent lorsqu'on quitta la route pour suivre le petit chemin menant à la maison. Avec la crue des eaux pendant la journée, l'endroit était maintenant en grande partie inondé. La jument refusait obstinément d'avancer sur les grandes flaques recouvrant le chemin, que le reflet de la lune faisait reluire comme de grands miroirs glacés. Ma mère dut descendre de la charrette pour prendre le cheval par la bride et le tirer. L'eau glaciale lui montait parfois jusqu'aux genoux. Le bas de sa robe était trempé. À tout bout de champ, elle perdait le tracé du chemin, s'enfonçant dans l'eau profonde. Malgré mon insistance, elle refusa obstinément mon aide.

– Reste dans charrette, m'ordonna-t-elle d'un ton ferme. Je ne veux pas que tu attrapes froid.

À notre arrivée à la maison, ma mère était complètement épuisée et transie. Comme elle se préparait à dételer, abreuver et nourrir la jument, je la suppliai :

– M'man, je peux le faire…

– Va plutôt allumer le poêle pendant que je prends soin du cheval, répondit-elle d'un ton ferme.

Lorsqu'elle entra, la maison était chaude et une bonne tisane l'attendait. Épuisée, elle se laissa plutôt tomber sur le lit, sans prendre la peine d'enlever ses vêtements mouillés, et s'endormit sur-le-champ. Pendant la nuit, elle se réveilla grelottante, fiévreuse et secouée par une vilaine toux rauque. Tout alla très vite après ça. Elle fondit comme neige au soleil. Sa peau devint pâle, cireuse et transparente, ses lèvres gercèrent et s'amincirent, ses joues se creusèrent et ses yeux cernés s'enfoncèrent dans leur orbite. Ses cheveux collaient à son front en sueur.

J'étais complètement désemparé. Elle ne voulait pas manger. Je lui donnais des tisanes, mais ça ne semblait pas l'aider. Je n'osais pas la quitter pour chercher de l'aide, m'inquiétant que dans son délire, elle commette une quelconque folie. Comme son mal empirait de jour en jour, je m'étais enfin résolu à chercher du secours, lorsqu'on cogna à la porte. C'était Aurèle, l'un des jumeaux Raymond. Comme promis, son père avait parlé au vieux Girard à Saint-Pascal.

– Ton père a acheté la charrue et devait repasser plus tard pour la prendre, mais il n'est jamais revenu. Girard dit qu'il est reparti en prenant le chemin de la gare.

Malgré moi, les paroles de mon oncle me revinrent à l'esprit. Mon père serait-il vraiment parti à Montréal ? Pendant qu'Aurèle parlait, on pouvait entendre ma mère râler et délirer de temps en temps. Lorsqu'il la vit, il reconnut à peine la jeune femme qu'il avait vue chez lui quelques jours auparavant. En partant, il promit de revenir avec de l'aide. Ce fut l'une des plus longues attentes de ma vie. D'heure en heure, de minute en minute, l'état de santé de ma mère empirait. Ses râles prolongés, entrecoupés de longs silences, me rendirent fou de peur et d'angoisse toute la nuit.

Le lendemain en matinée, Aurèle arriva avec sa mère et sa sœur Aurélie. Les deux femmes eurent vite fait de me chasser de la maison.

– Allez ouste, dehors, dit Mme Raymond. Aurèle, emmène le petit tourner la terre du jardin, puis, après ça, vous nettoierez l'écurie.

Elle avait établi toute une liste de choses à faire pour chasser les hommes des parages. Pendant que nous accomplissions nos tâches, les deux femmes firent la toilette de ma mère, changèrent la literie et nettoyèrent la maison de fond en comble. C'étaient deux vraies tornades de bonnes intentions et de propreté.

Lorsque j'entrai dans la maison en fin de journée, l'odeur de la bonne cuisine me fit prendre conscience que j'étais affamé. Un vrai régal m'attendait. Ma mère était assise dans son lit. Elle était blême, mais semblait avoir pris du mieux. Aurélie lui servait de la soupe. Lorsqu'elle me vit, ma maman chérie me sourit. Je l'embrassai bien fort. Mon cœur était sur le point d'éclater tellement j'étais heureux et soulagé de la voir sauvée. Reconnaissant, je me mis à bécoter les joues de Mme Raymond pour la remercier.

– Ben voyons, arrête-moi ça, mon garçon. Ce n'est pas nécessaire. Puis, à part de ça, tu vas rendre mon mari jaloux, protesta-t-elle en riant, rouge comme une tomate.

À la mention du sévère M. Raymond, je m'arrêtai net. Vers la fin de la journée, Mme Raymond partit avec son fils, laissant Aurélie avec mission de veiller sur nous. Ce soir-là, je dormis comme une bûche. Je n'avais pas eu une bonne nuit de sommeil depuis la disparition de mon père, la cause de tous mes malheurs.

À mon réveil, la maison était tranquille, sauf pour un murmure de prières dans le fond de la pièce principale. Mme Raymond était déjà de retour. Assise dans la pénombre à la table de cuisine, elle récitait le chapelet avec sa fille. Lorsqu'elle me vit, elle murmura tout bas :

– Mon pauvre petit…

* *
*

Après ça, tout s'embrouille. Je me rappelle à peine m'être tenu devant la tombe de ma mère, sous le grand chêne. Mme Raymond récitait le chapelet à voix haute, alors qu'Aurélie, Aurèle et moi répondions. Ensuite, ils m'emmenèrent chez ma tante Rose et mon oncle Albert, mes nouveaux parents adoptifs.

Dans le fond, j'ai toujours cru que ma mère s'était laissé emporter par le chagrin. Je lui en ai longtemps voulu d'être disparue sans se soucier de son petit garçon. Pire, je détestai mon père de l'avoir anéantie et d'avoir, par la même occasion, gâché ma vie.

CHAPITRE 2

Chez Rose et Albert

Mon oncle Albert fut catégorique.

– Tu peux venir vivre avec nous autres, mais pas ton chien. On a déjà Noirot. Tu donneras Champion aux Raymond. Ils sont prêts à le prendre.

Toi, oui ; ton chien, non. Tel fut l'accueil que me réserva mon oncle à mon arrivée. J'eus beau plaider que Champion était un bon chien de chasse, rien n'y fit. La décision était irrévocable. Voilà que je devais renoncer au seul ami qui me restait au monde.

Au moment de nous séparer, chaque plainte, chaque gémissement de Champion m'atteignit en plein cœur. Aurèle le tint fermement par le collier pour qu'il ne me suive pas. Sans le savoir, je voyais mon fidèle ami pour la dernière fois. Après mon départ, Aurèle dut l'attacher au fond de la cour en permanence pour qu'il ne tente pas de me retrouver. Finalement, il préféra le donner à des parents vivant à l'autre bout du comté plutôt que de voir Champion, attaché à longueur de journée, malheureux et dépressif.

Je ne comprenais pas. Comment mon oncle pouvait-il lui préférer Noirot, un vieux chien triste et ennuyeux, qui se déplaçait lentement et dormait toute la journée ? En fait, il ne semblait pas l'apprécier plus qu'il ne fallait et se plaignait tout le temps que le maudit chien mangeait trop. Intentionnellement ou non, Albert m'enlevait tout ce qui pouvait me rappeler mon père, mes parents, mon ancienne vie.

– Ici, on chôme pas, me lança-t-il d'un ton sévère. Tout le monde doit faire sa part. Si tu comprends ça, t'auras pas de problème.

– Laisse-le donc tranquille, Albert, supplia tante Rose. Il vient d'arriver, là, le pauvre petit. Tu vois bien qu'il est encore tout bouleversé d'avoir perdu sa mère puis son père.

– Ouais ! Parle-moi pas de son père. C'était bien son genre de se sauver à Montréal voir les petites pitounes pendant que sa famille était dans misère.

– Mon Dieu, Albert ! Pourquoi tu dis une chose pareille devant lui ? s'offusqua ma tante. Des fois, t'as pas de cœur.

– Ben quoi ? Il faut bien qu'il sache la vérité un de ces jours, répondit mon oncle en haussant les épaules.

– Écoute-le pas Rémi, il ne sait pas ce qu'il dit, me rassura-t-elle.

J'entendais à peine leurs propos, perdu comme j'étais dans mes pensées.

– Viens, je vais te montrer où tu vas coucher au deuxième.

Dans un coin du comble, isolé derrière un rideau, il y avait un petit lit avec un matelas de paille fraîche, une table de chevet et au mur, trois crochets pour mes vêtements.

– C'est ton oncle qui a fabriqué les meubles et préparé ta chambre. Je sais que des fois il paraît dur, mais dans le fond, il a bon cœur pareil, me confia-t-elle, satisfaite de l'aménagement de la pièce. Tu vas voir. Il gagne à être connu.

J'étais trop bouleversé pour dire un mot. Abasourdi, complètement dépassé par les événements, je m'assis sur le lit.

* *
*

– Je ne vois pas pourquoi on est pris avec lui. Tu devrais le mettre sur le train et l'envoyer chez tes parents au lac De Demontigny. Je suis certain que ta mère serait aux anges de prendre soin du p'tit à Madeleine, dit mon oncle d'un air moqueur. Elle a toujours été leur préférée, de toute façon.

Tante Rose refusa obstinément. Rien de ce qu'Albert pouvait lui dire ne l'aurait fait changer d'idée. Elle voulait des enfants, des ribambelles d'enfants dansant et chantant autour d'elle, mais le destin en avait décidé autrement. Elle en était cruellement peinée et complexée. Elle ne doutait pas un instant de la fertilité de son homme. Non, ça ne pouvait qu'être de sa faute à elle. Albert le lui avait assez répété. Mon arrivée dans le décor la comblait de bonheur. Laissée à elle-même, elle m'aurait sûrement gâté, mais Albert s'y opposa farouchement.

– Rose, tu lui fais pas de faveur en le dorlotant tout le temps, lui reprochait-il à la moindre occasion. Il faut qu'il apprenne à travailler comme tout le monde.

Puis pour bien planter son clou, il ajoutait :

– Il me fait penser à son père. Il n'est pas vite, puis il travaille mal. Je suis toujours obligé de reprendre son travail. Voir si ç'a du sens. Si on comptait juste sur lui pour mettre de la nourriture sur la table, on mangerait maigre, laisse-moi te le dire.

Je brûlais de rage, car tout ce qu'on avait sur la table était le produit de la petite ferme de ma tante, où j'étais le principal ouvrier, alors que mon oncle passait ses journées à boire et à dormir dans son atelier. Dès le lever du jour, je courais chez le voisin chercher un pichet de lait en échange de nos œufs. Ensuite, je nourrissais les animaux. J'entrais le bois pour la journée et l'eau fraîche du puits extérieur avant de partir pour l'école. À mon retour, je me dépensais à diverses tâches comme fendre le bois, sarcler le jardin ou le champ de patates. À l'automne, je n'allais pas à l'école au moment des récoltes. Il me semblait que j'abattais plus de travail en une heure que mon cher oncle Albert en une semaine.

Après le souper, mon oncle Albert attelait la jument pour aller jouer aux cartes au magasin général, avec les flâneurs du coin. Il en profitait pour déguster la fameuse bière d'épinette de Desjardins, de fabrication artisanale et fortement alcoolisée, comme de raison. Brassée dans l'arrière-boutique, la vilaine bière était d'un beau brun rougeâtre avec une tête caramel et dégageait un fort arôme d'épinette mêlé d'un soupçon de mélasse brûlée. Après deux ou trois chopes, les joueurs ne voyaient plus clair. Mon oncle revenait de sa soirée passablement éméché et rieur. Une fois à la maison, il retrouvait sa petite misère, devenait amer et insupportable jusqu'à ce qu'il s'endorme dans la chaise berçante, d'où ma tante l'aidait à monter se coucher. C'était ma tâche de dételer la jument. Je préférais être dehors que dans la maison avec ce vieux grincheux qui se plaignait tout le temps.

* *
*

Un jour, mon oncle me demanda d'aller chez Desjardins acheter un sac de mélange de graines pour les poules. La moulée assurait une meilleure ponte.

– Achète du Sunny Boy, s'il y en a, précisa-t-il.

– Bien voyons, un sac, c'est pas trop pesant pour lui ? s'inquiéta tante Rose. Il va se crever à porter ça du village jusqu'ici.

– Je portais bien plus lourd que ça à son âge et sur une bien plus longue distance, puis je ne suis pas mort, répondit mon oncle. Il n'est pas obligé de tout faire d'une traite. Il pourra s'arrêter aussi souvent qu'il en aura besoin.

Puis il me demanda, comme par défi :

– Penses-tu être capable de faire ça ? Sinon je vais m'organiser autrement.

J'étais trop fier pour dire non. Oui, je pouvais porter encore plus lourd, s'il le fallait. Après tout, j'avais onze ans, j'étais assez grand pour mon âge et je me sentais d'attaque. Sans attendre la fin de la discussion, je partis à la course, l'argent dans les poches. Je suivis le sentier à travers le boisé et les terres du vieux Chamberland, c'était plus court que de prendre le chemin du rang. Seul ennui :

le pâturage où le vieux Chamberland gardait son jeune taureau pure race, futur grand champion des foires agricoles et géniteur réputé du comté, un bétail de plus de six cents kilos presque aussi large que haut, fait entièrement de muscles. En fait, le taureau n'était pas vraiment un problème si, au moment de traverser l'enclos, on s'assurait qu'il n'était pas dans les parages. Pour traverser, je courais habituellement jusqu'au vieux pommier au milieu du champ, puis de là, si tout allait bien, je filais de l'autre côté de la clôture. Ce matin-là, pas d'inquiétude, la grosse brute n'y était pas. J'aurais pu traverser en dansant parmi les fleurs sauvages.

M. Desjardins lisait son journal au comptoir. Après le bonjour, je demandai la moulée Sunny Boy. Il me fit signe de le suivre au fond du magasin, où il rangeait les différentes marques de moulée. Je constatai que je pouvais acheter le double de Golden Nuggets pour le même prix qu'un sac de Sunny Boy.

– C'est quoi la différence entre les deux ?

M. Desjardins haussa les épaules.

– Il y en a qui disent que la Golden donne un jaune d'œuf plus orangé et ils n'aiment pas ça. Il y en a d'autres que ça ne dérange pas. J'en vends autant de l'une que de l'autre.

La couleur du jaune m'importait peu. Toutefois, j'étais vraiment toqué sur la quantité par rapport au prix. Sans hésiter, je pris le plus gros sac de moulée que je pouvais acheter : un dix kilos de Golden Nuggets que je mis prestement sur mon épaule. M. Desjardins me regarda curieusement.

– Tu es sûr de vouloir porter ça jusque chez vous ? Tu as une bonne trotte à faire, tu sais.

Pourquoi tu ne le laisses pas ici ? Ton oncle pourra l'apporter dans sa charrette après sa soirée de cartes.

Fanfaron comme j'étais, je répondis que ce n'était pas un problème.

– Inquiétez-vous pas. Je porte bien plus lourd que ça d'habitude.

Il ne dit rien, haussa à nouveau les épaules et prit mon argent. Je sortis du magasin et traversai le village, la tête haute, le dos bien droit, la démarche rapide. Après un certain temps, je changeai la charge d'épaule, puis changeai encore. Finalement, j'eus les deux épaules en compote. Chaque fois que mon talon frappait le sol, j'avais l'impression que ma clavicule cherchait à se décrocher. Je continuai stoïquement ma route sans prendre de pauses, craignant trop de perdre courage si jamais je m'arrêtais même un bref instant. J'avais hâte d'en finir.

Je fus heureux d'arriver à la clôture du vieux Chamberland marquant les deux tiers du trajet. Après un regard rapide pour m'assurer que le taureau n'y était pas, je sautai la clôture et repris le sac en me promettant de me reposer une fois de l'autre côté. Je marchai d'un pas rapide vers le pommier au milieu du champ. Malgré mes épaules en feu, j'étais satisfait de ma progression. En peu de temps, j'arriverais à la maison. Je jubilais déjà en imaginant la tête de mon oncle devant l'énorme poche de moulée que j'avais achetée avec son argent, assez pour nourrir les poules pendant des semaines. « Comment ferait-il pour m'ennuyer après un coup d'éclat pareil ? » me dis-je, tout excité.

BEU...eu... eu...heu... hiiii...EURK! SNIF... OORRK! Le long beuglement sinistre, suivi de reniflements sonores, fendit l'air et me coupa le souffle. LE TAUREAU! Le vilain s'était tapi dans l'herbe haute, attendant que je sois à mi-chemin pour déclencher son piège. Le pommier n'était plus qu'à quelques mètres et pourtant, il était si loin... « S'il vous plaît, mon Dieu, je vous en supplie. Permettez-moi de l'atteindre avant que le taureau charge », priai-je désespérément.

Terriblement secoué, je sentis la poche glisser de mon épaule. Le cœur battant à tout rompre, je l'agrippai fermement et me mis à courir de toutes mes forces. J'eus l'impression d'avancer au ralenti tellement mes jambes alourdies par la fatigue refusaient d'enclencher. Tout en courant, j'apercevais du coin de l'œil le taureau à une trentaine de mètres, se préparant à charger. Monsieur n'était pas content de me voir sur son territoire. Les crampes aux jambes, tout en sueur et le souffle court, mais combien soulagé, j'atteignis le pommier. Je voulus grimper au sommet, mais ne pus pas me résoudre à laisser la moulée au pied de l'arbre, à la portée de l'ogre. Au lieu d'abandonner mon précieux paquet, je me blottis contre le tronc. Si la bête chargeait, alors on verrait, mais pour l'instant j'étais persuadé qu'en me cachant, sans bouger, derrière le tronc, je deviendrais invisible pour le monstre. Mon stratagème porta ses fruits. La grosse brute n'avait pas bougé. L'animal continuait à regarder dans ma direction, en aspirant bruyamment l'air à plusieurs reprises, cherchant ma présence. Je devinai que le taureau n'était plus certain de m'avoir vu. N'étais-je qu'une illusion? Apparemment oui, puisqu'il se remit à brouter comme si de rien n'était, m'oubliant déjà. Penchant sa grosse tête pour prendre de bonnes grosses bouchées d'herbe, il mastiquait docilement, toujours en fixant le pommier d'un air idiot. Puis l'animal se retourna et se dirigea lentement à l'autre bout du champ, s'éloignant de moi.

Dès lors, j'en profitai pour remettre le sac sur mon épaule et fuir à toutes jambes vers la clôture. J'y étais presque lorsque j'entendis le bruit sourd de sabots tambourinant sur le sol. TABADA! TABADA! Le monstre chargeait à vive allure, le nez à terre et ses cornes pointues me visant les fesses. Le gros bêta avait feint de s'en aller pour mieux me surprendre. Il avait réussi. Terrifié, je laissai tomber le sac et, en deux enjambées, sautai la clôture. Je continuai ma course dans le sous-bois, craignant que la grosse brute saute à son tour la clôture à ma poursuite. Au premier arbre, je grimpai le plus haut que je pus. Bien accroché au tronc, le souffle court et tout étourdi, j'attendis que le taureau se pointe. Rien.

Rassuré, je m'approchai lentement et avec méfiance de la clôture pour reprendre la poche de moulée. J'eus peur que la bête se soit à nouveau cachée pour me faire la fête, une fois pour toutes. Mais non, le taureau était de son côté de la clôture, la tête penchée, à fouiller le sol sagement. Il m'avait complètement oublié. D'où j'étais, je ne pouvais pas voir ce qu'il mangeait, mais à son air de contentement, je craignis le pire. La moulée! Ah, NON! Complètement affolé, je criai à pleins poumons pour l'apeurer et le mettre en fuite, mais ce fut peine perdue. Il continua à manger, complètement perdu dans son monde de vaches. Pendant un instant, je perdis la raison. J'arrachai une branche d'un arbre, sautai la clôture et me mis à lui fouetter la croupe et le flanc de toutes mes forces. D'aussi près, la bête était énorme. J'avais l'impression d'être une mouche s'attaquant à un mastodonte. Mes coups répétés le tirèrent pourtant de sa rêverie. Je vis dans ses yeux une hostilité à me glacer le sang. Il n'hésiterait pas à m'encorner pour finir son repas. Je pris alors conscience de ma très grande témérité. Sans hésiter, je jetai la branche et sautai rapidement de l'autre côté de la clôture.

Je le regardai s'empiffrer. Avec son museau, il envoya le sac dans les airs à quelques reprises et le secoua vigoureusement pour s'assurer qu'il était bien vide. Content de son méfait, il partit en trottant gaiement au fond du champ, sans aucun souci au monde. Je sautai la clôture pour récupérer les restes et ne vis dans l'herbe que quelques graines ici et là comme de précieuses pépites d'or. C'est beau si je pus récupérer une poignée ou deux de moulée que je mis dans le sac déchiré. Les rares fois où je regardai dans sa direction, l'artisan de mon malheur gambadait comme un veau à l'autre bout du champ.

Dépité, je retournai à la maison le cœur lourd, redoutant la colère mesquine de mon oncle et me demandant comment faire pour l'éviter. Il n'y avait pas d'échappatoire. Je résolus de l'affronter dès mon retour pour en finir au plus vite. Malgré moi, je ralentis le pas, prenant des pauses à tout moment, retardant l'inévitable le plus longtemps possible. J'espérais arriver après le souper. Il aurait mangé et serait probablement de meilleure humeur. De plus, il était toujours plus gentil avant de partir jouer aux cartes. Si j'étais chanceux, il serait déjà parti chez Desjardins. J'avais mal calculé. Comme j'arrivais à la maison, mon oncle sortait de son atelier, déjà un peu gris. Il me regarda approcher. J'avais les cheveux en broussailles et les joues sillonnées de larmes. Il manquait un bouton à ma chemise et mon pantalon était déchiré. Je dus avoir l'air du diable, mais il ne sembla pas le remarquer.

– D'où tu viens ? Es-tu allé chercher de la moulée pour les poules, comme je t'ai demandé ou tu es allé jouer toute la journée, comme d'habitude ?

Je ne pus lui répondre, la gorge nouée. J'étais en colère contre tout le monde, contre mon sans cœur d'oncle et, surtout, contre moi-même. Au comble de la frustration, je lançai le sac déchiré qui flotta lentement dans les airs un instant, avant de tomber à ses pieds. Curieux, il le ramassa, l'ouvrit et vit dans le fond quelques graines avec des brins d'herbe.

– C'est quoi ça ? demanda-t-il, d'un ton irrité.

J'eus le goût de hurler que c'était un gros sac de Golden Nuggets, une vraie aubaine, que j'avais porté sur mes épaules endolories pendant des kilomètres, avant que le maudit taureau à Chamberland l'ait tout mangé sans que je puisse l'en empêcher. Serré par l'émotion, j'avais mal. Je savais que si je parlais, ma voix se briserait et je me mettrais à pleurer et à renifler comme un gros bébé. Je ne souhaitais surtout pas sangloter devant cet abruti.

– C'est quoi ça ? répéta-t-il, insistant. Bien, je vais te le dire ! C'est de la cochonnerie ! me cria-t-il, enragé, en me lançant une poignée de graines. Va-t'en ! J'veux pas te voir pendant un bout de temps.

Il ajouta méchamment :

– T'es comme ton père. Tu fais jamais rien de bon.

De tout ce qu'il pouvait me dire, rien n'allait me blesser davantage. J'avais beau haïr mon père parce qu'il nous avait abandonnés, ma mère et moi, je ne pouvais pas tolérer qu'un autre le critique, surtout pas un être aussi méprisable que mon oncle. J'enrageais intérieurement. Tout et tout le monde se liguait contre moi pour rendre ma vie misérable. J'avais envie de fuir. Mais où ? J'entrai dans la maison en claquant la porte.

– Ah ! Mon Dieu, tu m'as fait peur, dit ma tante.

Voyant ma détresse, elle demanda :

– Mais qu'est-ce qu'il y a ?

Je n'avais aucune envie de partager ma peine avec qui que ce soit. Je montai dans ma chambre en défonçant les marches d'escalier. Même là, assis sur mon lit, je ne me sentais pas en paix.

– Albert, qu'est-ce qui s'est passé ? Qu'est-ce que t'as dit au p'tit, encore ?

Et mon oncle de répondre quelque bêtise à mon sujet. C'en était trop. Il fallait que je parte. Je sortis de la maison en fermant la porte avec un bon bruit sec et sonore, pour exprimer toute ma colère et toute mon amertume, afin de soulever plus de compassion de la part de ma tante. Je traversai la cour au pas de course. Je ne voulais pas qu'on me rattrape, et pourtant, je fus bien déçu et encore plus misérable de constater que personne ne se lançait à mes trousses. Je continuai ma route sans savoir où j'allais.

À force d'errer, je me retrouvai à la cabane en bois rond en bas de la côte, jadis la maison principale de la ferme, maintenant devenue une remise pour des bric-à-brac oubliés. En déplaçant des choses, je découvris un vieux poêle en fonte encore branché à la cheminée, un lit de planches, quelques étagères au mur près du poêle, une petite table et une chaise en partie défoncée. Complètement drainé par autant d'émotions, j'enlevai ce qu'il y avait sur le lit et me couchai un instant. Recroquevillé pour garder ma chaleur, je m'endormis immédiatement d'un sommeil profond. Pour la première fois depuis longtemps, les souvenirs amers ne vinrent pas semer la pagaille dans mes rêves. Sans m'en rendre compte et sans mauvaise intention de ma part, je dormis jusqu'au petit matin. Je me réveillai un peu éreinté, mais heureux. La nuit avait été bonne. Je retournai à la maison en sifflant sans me douter qu'un orage m'attendait.

– Où t'étais ? J'étais folle d'inquiétude ? Ton oncle t'a cherché toute la nuit.

Mais à regarder mon oncle, je devinai bien qu'il avait limité sa recherche au magasin général et à siroter de la bière toute la soirée. Comme pour se défendre, à peine dégrisé, Albert se mit de la partie.

– C'est bien comme toi d'agir sans jamais penser aux autres. T'es comme ton père. Tu penses rien qu'à toi-même.

– Albert, lui cria ma tante. C'est pas le temps de commencer avec ça.

Mais il ne put pas s'empêcher d'en beurrer un peu plus épais.

– T'es comme ton père. Un maudit sans-cœur qui abandonne sa femme et son petit pour les petites pitounes de Montréal.

Je pétai les plombs et lui sautai dessus pour lui faire ravaler ses paroles blessantes. Je ne faisais pas le poids face à cet homme adulte qui me repoussa violemment au sol sans grand effort. J'étais fou de rage. Je suffoquais dans cette maison. Sans regarder en arrière, je pris mes affaires et m'en allai en jurant de ne plus jamais y remettre les pieds. Dorénavant, je vivrais dans ma petite cabane, mon havre de paix. Grâce à la chasse, à la pêche et à la culture d'un potager, j'étais persuadé de pouvoir subvenir à mes besoins. Comme je partais, mon oncle déclara que si je n'aidais pas autour de la ferme, je n'avais droit à rien de sa part. Ça faisait bien mon affaire, car je préférais mourir de faim plutôt que de recevoir quoi que ce soit de ce monstre.

* *
*

En peu de temps, j'aménageai la cabane à mon goût, avec la complicité de ma tante. Malgré l'été avancé, je plantai quelques patates et des haricots dans un jardin hâtivement préparé. À l'automne, j'eus quelques légumes, mais rien pour me sustenter tout l'hiver. Je me promis d'en doubler la superficie l'année suivante. Lorsque mon oncle n'était pas à la maison, Rose me remettait des œufs en échange de menus travaux. Malgré le holà de son détestable mari, elle s'obstina à m'approvisionner en pains. Je recevais deux miches par semaine que je mettais dans un sac accroché au plafond, loin de la vermine, car je partageais la place avec un tas de petites bestioles. À part ça, je cueillais tout ce que la nature offrait : petits fruits, noisettes, prunes et pommes sauvages. Mon régime était largement composé de poisson, et j'espérais que l'hiver m'apporterait un lot de lièvres pris au collet. J'étais assez fier du pied de nez que je faisais à mon oncle. Il devait fulminer devant tant de débrouillardise de ma part.

Je crois que les choses auraient pu continuer comme ça longtemps. Puis l'hiver se pointa. Quel cauchemar ! Le froid transperçait tout. Le vent sifflait par les mille et un interstices de ma cabane mal isolée. Le vieux poêle à bois fumait et, en vrai glouton, il consommait une quantité effarante de bois sans vraiment réchauffer la place. Un soir de janvier, par moins quarante, je réussissais à peine à me garder au chaud, recroquevillé en boule dans mon lit, sous une montagne de vieilles couvertures. L'ennui... Je devais nourrir le monstre infernal avant qu'il ne s'éteigne. L'autre contrariété... La boîte à bois était vide. L'idée de quitter la maigre chaleur de mon lit pour courir dehors au grand froid, dans le vent et la neige, chercher quelques rondins me rebutait. Je savais que, le temps de mon absence, le lit se refroidirait, et que ça me prendrait un temps fou pour le réchauffer et retrouver le même niveau de confort. Pendant ce temps, les bûches nouvellement mises au feu se consumeraient, et j'aurais à tout recommencer. La nuit s'annonçait longue et pénible, sans aucun doute.

Je ne pouvais m'empêcher de penser à la belle époque, à la maison chaude et accueillante que je partageais avec ma mère. Mon père... Seulement à y penser, je bouillonnais. Comment avait-il pu nous laisser comme ça ? On était une famille heureuse. Et pourtant, il ne revint pas, le misérable.

Maintenant, je vivais seul dans cette cabane à mourir de froid et de... chagrin.

Comme je m'apitoyais sur mon sort, ma tante Rose entra en coup de vent. On aurait dit une Esquimaude. Elle s'était bien emmitouflée pour descendre la côte, de la maison à la cabane. Elle tenta de refermer la porte, mais comme la serrure s'enclenchait mal, le vent l'ouvrit violemment à nouveau. Après une troisième tentative, tante Rose parvint à la fermer. Satisfaite, elle se retourna, mais ne me vit pas, tellement j'étais bien caché dans la pénombre de la pièce, sous une montagne de couvertures.

– Rémi ? Rémi, es-tu là ? demanda-t-elle.

En voyant de la buée sortir de sa bouche, elle ajouta, surprise :

– T'as pas fait de feu ? Bien, voyons donc ! T'es bien drôle. On gèle icitte !

Elle n'en revenait pas. M'ayant enfin repéré, elle dit :

– Viens coucher à la maison. Ton oncle est parti chez son frère à Amos, pour travailler jusqu'à la fin de l'hiver. Tu viendras me tenir compagnie et tu seras bien mieux qu'icitte. En tout cas, ce sera plus chaud.

Sans attendre ma réponse, elle sortit en claquant la porte qui s'ouvrit à nouveau, violemment emportée par un coup de vent.

– La porte ! criai-je, mais elle était déjà loin.

Ma grande vie d'autarcie dans la cabane allait plutôt mal. Ma tante avait raison. Elle n'eut pas à répéter son invitation. En toute hâte, je m'habillai et courus chez elle. En ouvrant la porte, je fus accueilli par une bouffée de chaleur enrobée d'une bonne odeur de soupe aux pois. C'est à ce moment-là que j'entendis mon estomac gronder. En plus d'être gelé, j'avais une faim de loup. Un bon bol de soupe m'attendait sur la table de cuisine, accompagné d'une tranche de pain épaisse beurrée d'une bonne couche de gras de rôti de porc à l'ail.

– Viens. Assis-toi. J'ai pensé qu'une bonne soupe ne te ferait pas de mal, dit ma tante.

Je ne me fis pas prier pour m'installer devant le bol fumant et manger le potage avec la tranche de pain en deux bouchées. Plus vite, je me serais étouffé. J'étais en pleine croissance et j'avais toujours faim. TOUJOURS, TOUJOURS, TOUJOURS FAIM. Ma tante me servit un autre bol de soupe, une portion moins généreuse cette fois-ci, et une tranche de pain un peu plus mince avec une couche de gras bien étirée. On étirait tout, absolument tout, en ce temps-là.

Par moments, je pouvais tellement aimer cette femme-là et, à d'autres, je ne pouvais pas supporter son inaction pour contrer les excès de son mari autoritaire et rancunier. J'avais du mal à imaginer que cet homme ait déjà été le meilleur ami de mon père, lui qui aujourd'hui le diffamait à la moindre occasion. Le temps et le grand froid de janvier eurent donc raison de ma résolution de vivre dans la cabane. Au retour de mon oncle au printemps, j'aurais toujours le loisir de me raviser.

Quand mon oncle revint, ou bien il était moins belliqueux, ou bien je m'étais assagi, toujours est-il que je ne retournai pas à ma cabane. Cependant, je n'en avais pas fini avec le vieux fou.

CHAPITRE 3

Maudit jambon

De toutes les saisons, je préférais l'automne, moins pour le beau coloris automnal qu'en raison de la nourriture abondante. Il reste que c'était une période dure de l'année. Tôt le matin, je sortais les pioches, les seaux et le tombereau pour gagner le champ avec tante Rose. Je dois dire que déterrer betteraves, carottes, navets, oignons et pommes de terre me passionnait. J'avais toujours hâte de voir la quantité et la grosseur des produits de mon labeur. Mon oncle s'occupait des animaux, qu'il amenait chez le voisin pour la boucherie. Une tâche qui ne devait durer qu'une journée ou deux pouvait prendre des semaines avec lui. Il était rarement là pour nous aider. À la fin de la journée au champ, j'avais mal aux jambes, au dos et à des muscles que je ne connaissais pas. J'avais beau secouer mes vêtements vigoureusement et me laver à grande eau avant de rentrer dans la maison, je trouvais toujours un peu de terre dans le fond de mon lit, le lendemain matin. À la fin des récoltes, lorsque j'entrai enfin le dernier lot de légumes à la cave, j'étais à la fois mort de fatigue et galvanisé en voyant l'amoncellement de produits mis en réserve pour passer l'hiver. En compensation pour mon travail, la table regorgeait d'aliments frais et variés. Enfin, je pouvais manger à satiété, ce qui n'était pas souvent le cas le reste de l'année.

Le renouveau printanier, aussi grisant qu'il soit, s'accompagnait inévitablement de privations. Pour être franc, je jeûnais et me privais pendant le Carême, moins par dévotion qu'en raison de la rareté des gâteries dans le garde-manger après un long hiver à vivre de nos provisions. À part quelques patates, des carottes et des navets ratatinés, il restait un sac ou deux de haricots blancs pour les *bines* et des pois secs pour la soupe, mais le lard salé commençait à manquer et la mélasse aussi. À regret, tante Rose courait chez Desjardins acheter ce qui était épuisé. Ça la peinait toujours de se départir de son bel argent. Ce n'est pas qu'elle était avare, mais elle aurait aimé garder un peu plus longtemps le peu qu'elle avait péniblement économisé. Malgré tout, j'avais de quoi manger, même si les portions étaient plutôt petites.

Le samedi, ma tante cuisait son pain dans le four extérieur, une monstruosité construite d'un mélange d'argile et de paille, à l'abri sous un toit en bardeau. Ça prenait une bonne partie de la journée pour réchauffer le four à la bonne température et, après la cuisson des miches, plusieurs heures pour le refroidir. Rose profitait de cette période pour cuire ses plats préférés. À l'honneur, la jarre de fèves au lard salé, un jambon en croûte ou un poulet gagnaient chaque fois le fond du four. L'arôme qui se dégageait du fournil après la messe du dimanche avait de quoi faire chialer d'impatience l'estomac le plus sage. Le menu était invariable le reste de la semaine. Le matin pour déjeuner, on mangeait des crêpes cuites dans la graisse de porc, saupoudrées de sucre du pays ou arrosées de mélasse. Le midi, la soupe aux pois ouvrait le repas, suivie de grillades de lard salé ou de jambon accompagné de pommes de terre grillées. Le soir, pour souper, ma tante réchauffait les restes du midi, agrémentés de carottes, de navets ou de betteraves. Le vendredi, religion oblige, il fallait manger maigre, et l'anguille marinée dans de la saumure remplaçait le lard salé.

Rien dans cette maison n'était gaspillé. Ce qui restait du poulet du dimanche servait de base pour une soupe épaisse composée d'oignons, de pommes de terre, de carottes et d'orge. Les cendres du poêle et du four servaient à la fabrication du savon du pays ou comme engrais pour le jardin. Les maigres restants de table allaient au chien et aux cochons. Pauvre Noirot, n'eût été de ma tante, il n'aurait pas eu grand-chose.

– Mets-en pas trop! criait Albert lorsque ma tante donnait les restes au chien. Garde le plus gros pour les cochons. Au moins, avec eux autres, on en tire quelque chose.

Sa mesquinerie ne se limitait pas au chien. Je connaissais bien la chanson.

– L'argent est rare. La nourriture n'est pas donnée. Quand tu travailleras comme un homme, t'auras la portion d'un homme…

Il me semblait qu'en raison de mon âge et des heures de travail que j'abattais tous les jours, j'avais droit à une portion égale ou supérieure à la sienne. C'était loin d'être le cas. Il m'arrivait certains soirs de me réveiller tenaillé par la faim.

Un beau dimanche, ma tante nous servit un petit jambon à l'érable tout à fait exceptionnel, auquel nous eûmes peine à résister. La pièce de viande devait durer toute la semaine. En voyant nos regards gourmands après notre ration habituelle, ma tante s'empressa de le mettre à la chambre froide, à notre plus grand regret.

– Je suis mieux de le serrer tout de suite avant qu'il lui arrive malheur, dit-elle en riant, heureuse de notre réaction à sa cuisine.

Le soir même, obsédé par le juteux jambon, je ne pus résister à une petite excursion à la chambre froide. Je ne sais pas si j'avais plus faim que d'habitude ou si j'étais distrait, toujours est-il que le jambon avait passé un mauvais quart d'heure après ma visite. Le pauvre avait perdu la moitié de sa taille. Mon oncle devinerait tout de suite mon forfait. Ma tante serait bien mal placée pour me défendre. J'étais totalement désemparé. Comment camoufler ma bêtise ? Impossible. Je remontai dans ma chambre sans pouvoir me rendormir, trop préoccupé à imaginer la réaction de mon oncle et de ma tante, mais surtout celle de mon oncle, en voyant le malheureux jambon le lendemain midi. Je me donnais des instructions sur la façon de réagir au moment de la découverte. D'abord, je nierais que le jambon était plus petit que la veille.

– Ben non ! Voyons ! Il était de même hier, dirais-je le plus sincèrement du monde.

S'ils se mettaient à en douter, j'insisterais, j'insisterais, j'insisterais. J'espérais ainsi semer la confusion dans leur esprit et, avec un peu de chance, ils laisseraient tomber. Il reste que j'avais des doutes. Je voyais déjà mon oncle me pointer de son gros doigt accusateur en me criant des injures, le visage crispé et grimaçant de colère. J'en avais des sueurs froides. Mes méninges travaillaient à plein régime pour trouver une solution. Un autre coupable. Il fallait trouver un autre coupable. Puis, comme par miracle, Noirot me vint à l'esprit, le bon vieux chien de mon oncle. Mon sauveur. Il dormait d'habitude dans le coin de la cuisine, près du poêle à bois, en face de la porte de la chambre froide.

– Rémi ! Ferme la porte ! me criait tante Rose, chaque fois que j'allais à la chambre froide, par crainte que le chien n'entre se régaler.

Oui, c'était la solution. Je prendrais le reste du jambon et le donnerais au chien. Glouton comme il était, il n'hésiterait pas à tout manger. Je le voyais déjà grugeant l'os avec délectation. Je laisserais la porte de la chambre froide entrouverte. Comme ça, il n'y aurait aucun doute que Noirot s'était servi tout seul. Ce serait le crime parfait, oui, absolument parfait.

Sans hésiter, je sautai du lit pour exécuter mon plan. Je mis la pièce de viande devant Noirot qui, curieusement, hésita. « C'est trop beau pour être vrai », semblait-il se dire. Il se méfiait, surtout que je n'avais pas l'habitude d'être aussi gentil avec lui. Pour l'encourager, je pris un peu de graisse du jambon avec les doigts et la mis sous son nez.

– Enweille, Noirot, goûte un peu comme c'est bon.

Il n'en fallait pas plus. Sentant l'irrésistible odeur du jambon, il ne put s'empêcher de lécher mes doigts comme un affamé. Il lançait de petits glapissements de plaisir. Sa queue fendait l'air. Je ne l'avais jamais vu aussi excité auparavant. « Comme ça, je ne suis pas tout seul dans cette maison à me réveiller la nuit avec des crampes à l'estomac », me dis-je.

Pourtant, lorsque je poussai la pièce de viande vers lui, Noirot s'entêta. Il resta devant moi, la gueule ouverte, la langue pendante et dégoulinante de salive, à humer le délicieux fumet, refusant malgré tout de succomber à la tentation, sachant mieux que moi le prix que lui coûterait sa gloutonnerie d'une nuit. Irrité, je pris la pièce de viande et la fourrai dans sa gueule. N'en pouvant plus, Noirot accepta enfin son sort, prit le jambon et se réfugia à toute vitesse derrière le poêle à bois, sa cachette habituelle, pour se délecter et se rassasier une bonne fois pour toutes. « La partie est gagnée », pensai-je, heureux. Je retournai dans mon lit, tout content de m'être débarrassé de la pièce à conviction aussi facilement, et m'endormis à poings fermés.

Je fus réveillé en sursaut par des cris épouvantables en provenance de la cuisine.

– Maudit chien de marde ! Viens icitte ! cria mon oncle, alors que le chien se plaignait et gémissait.

Ma tante pleurait de peur lorsque je la vis au bas de l'escalier.

– Qu'est-ce qu'il y a ? demandai-je innocemment.

– Noirot a pris le jambon dans la chambre froide et l'a tout mangé, répondit-elle, visiblement ébranlée.

– Comment ça ?

– Je ne sais pas. La seule chose que je peux voir, c'est que la porte de la chambre froide est restée ouverte hier soir.

Les yeux pleins de larmes, implorant le pardon, elle continua :

– J'pense que j'ai été la dernière à y aller avant de me coucher. J'ai dû mal fermer la porte. J'comprends pas comment j'ai pu faire ça.

– Ah ! Ma tante..., fis-je d'un ton triste et déçu.

En réalité, j'avais envie de sauter de joie. Mon plan marchait à la perfection. On ne se doutait de rien.

– Albert est tellement fâché qu'il a sorti son fusil, continua-t-elle en pleurant de plus belle. J'ai bien peur qu'il tue la pauvre bête. Par ma faute...

– Ben voyons donc ma tante, j'pense pas qu'il ferait une chose pareille.

À son regard, je compris tout à coup la gravité de la situation. Quand j'entrai dans la cuisine, mon oncle tirait le chien par le collier d'une main et tenait son fusil de l'autre. Les pattes raides, se sentant en péril, le chien refusait obstinément de sortir de la maison, ce qui redoubla la colère de mon oncle.

– Tabarnak destie de câlisse ! Viens-t'en, mon maudit enfant de chienne, cria-t-il la bouche tordue, les yeux exorbités et le visage rouge, en traînant le chien dehors.

Albert était méconnaissable. Toute sa personne vibrait d'une hostilité explosive. Il n'avait plus de cœur. J'eus peur de lui et craignis pour la première fois pour la vie de Noirot. Le chien allait mourir par ma faute, ma très grande faute. Mon plan innocent pour me disculper tournait en tragédie.

– Mon oncle, qu'est-ce que vous faites ? demandai-je timidement, trop pris de court pour réagir fermement.

Enragé, Albert ne m'accorda aucune attention. Je restai là, sur le pas de la porte arrière, à regarder la scène sans y croire. Tiré violemment par le collier, le chien gardait toujours les pattes raides qui s'enfonçaient dans la terre meuble, tentant vainement de retarder son rendez-vous avec la mort. Ce n'est qu'en voyant mon oncle disparaître derrière son atelier avec le chien à la traîne que je surmontai ma paralysie et courus à sa suite, dans l'espoir d'arriver avant d'entendre le coup de feu. Je ne savais pas encore ce que je lui dirais ni comment m'y prendre pour l'arrêter. Lorsque j'arrivai, mon oncle visait le chien avec son arme. La bête n'arrêtait pas de bouger, allant d'un côté à l'autre dans un va-et-vient continuel, la tête baissée à ras le sol, la queue entre les jambes, pissant et gémissant en même temps. J'avais l'impression que l'animal me regardait et m'accusait.

– Arrête, maudit bâtard! lui cria mon oncle, irrité.

L'animal s'immobilisa un bref instant, puis recommença son manège, pressentant sans doute que s'il s'arrêtait, tout s'arrêterait pour lui à jamais. Afin d'empêcher mon oncle de tirer, je criai :

– C'est pas de sa faute. C'est pas lui!

– Qu'est-ce que tu dis là ? demanda mon oncle en abaissant son arme, ses yeux durs rivés sur moi.

– C'est pas de sa faute, dis-je en espérant le convaincre d'épargner la bête.

Mais non. Il braqua son arme à nouveau. Là, j'ajoutai un peu paniqué :

– C'est pas lui, c'est moi qui ai laissé la porte de la chambre froide ouverte.

Mon oncle me fixa à nouveau un instant, cherchant à en savoir plus.

– J'ai laissé la porte ouverte. C'est de ma faute. Noirot a rien fait, criai-je en sentant un certain soulagement à révéler une partie de la vérité.

Cette information ne changeait rien. Mon oncle remit le chien en joue et s'apprêta à tirer. Alors affolé, je criai en pleurant :

– C'est moi qui lui ai donné le jambon... C'est pas Noirot qui l'a pris. C'est moi ! C'est moi !

– Pourquoi t'as fait ça ? demanda mon oncle, incrédule.

Je répondis difficilement, avec des hoquets de sanglots hachurant mes mots. J'avais mal à la gorge.

– Par...ce que..., commençai-je.

Curieusement, à ce moment-là, le chien s'arrêta, attentif à mes propos, s'attendant sans doute à ce que ma confession épargne sa vie. Soudain, un BANG sonore fendit l'air. Je fus tellement stupéfait que j'eus le souffle coupé. Le chien émit un petit glapissement de surprise en s'écroulant lourdement, les membres secoués par la mort. Je restai bouche bée. Mon oncle me regarda avec ses yeux de tueur.

– Compte-toi chanceux de ne pas avoir la même chose, tonna-t-il d'une voix menaçante. Je ne sais pas ce qui me retient. Là, tu vas prendre tes affaires de la maison, pis tu vas crisser ton camp d'icitte. J'veux plus jamais te revoir, t'as compris ! J'hésiterai pas la prochaine fois, je te le garantis.

Il partit, d'un pas furieux et sans regarder en arrière. Il persifla en passant près de moi :

– T'es comme ton père, un maudit écœurant d'égoïste qui ne s'inquiète pas si les autres meurent de faim.

J'eus envie de lui crier que mon père n'aurait jamais tué une bête innocente. Mais à quoi bon répliquer ? Dégoûté par mon action irréfléchie de la veille, je me sentais méprisable. Qu'avais-je fait ? Noirot ne méritait pas de mourir pour ma bêtise. Honteux de ma lâcheté, je résolus d'accorder une sépulture décente à la pauvre bête.

– Je m'excuse bien gros, dis-je au fantôme de Noirot, avant de retourner prendre mes affaires.

Il n'y avait personne. Tout était fermé, les rideaux tirés. Mes quelques vêtements avaient été lancés pêle-mêle sur la galerie. Ce n'était pas grand-chose, un maigre balluchon d'effets personnels. J'entendais mon oncle et ma tante s'engueuler dans la cuisine en arrière, mais je savais qu'elle ne gagnerait pas. Une ou deux fois, je vis les rideaux bouger, mais je n'y portai plus attention. J'étais complètement assommé et n'avais qu'une envie : fuir le plus loin possible de cet endroit infernal. Je pris le paquet et partis, totalement libre et complètement malheureux. Si l'on m'avait demandé : « Rémi, où vas-tu comme ça ? », je n'aurais pas su quoi répondre. Je n'en avais aucune idée. Je traversai la cour et pris la direction du village d'un pas rapide. Comme j'entrais dans le boisé, j'entendis ma tante me crier au loin :

– Rémi ! Rémi ! Attends...

Je me retournai pour la voir courir à travers le champ, un paquet sous le bras. J'éprouvai un grand soulagement. Elle ne m'avait pas abandonné après tout. Elle me prit dans ses bras. Je la serrai très fort en refoulant les larmes qui cherchaient à s'échapper. Sa présence fut un baume extraordinairement apaisant pour moi.

– Pauvre Rémi. Pourquoi t'as fait ça ?

Je vis à son visage qu'elle était profondément bouleversée. Sans attendre, elle ajouta :

– Je t'ai apporté du pain et du fromage pour ton voyage. Tiens, prend ça aussi.

Elle me remit le paquet et un billet de cinq dollars. Je n'en revenais pas. Déjà, se départir du pain et du fromage était gros, mais les cinq dollars représentaient toute sa fortune. Ça lui prendrait une éternité pour économiser une somme pareille à nouveau.

– Ma tante, je ne peux pas, dis-je en lui remettant l'argent qu'elle refusa obstinément de reprendre.

– Écoute, t'en auras besoin pour prendre le train à Saint-Pascal. Prends un billet pour le lac De Montigny. Comme tu sais, tes grands-parents ont une ferme dans ce coin-là. Quand t'arriveras, tu demanderas la ferme des Dumouchelle. T'auras pas de problème, tout le monde les connaît là-bas.

L'air un peu embarrassé, elle avoua :

– J'ai pas eu le temps de leur écrire au sujet de la mort de ta mère et de la disparition de ton père. Je suis pas bien bonne pour écrire et je ne savais pas comment leur annoncer la mort de Madeleine. Ça va être un coup dur pour p'pa, murmura-t-elle avec un petit pincement au cœur. Mais y va être bien content de voir son p'tit-fils. Tu vas bien t'entendre avec eux autres. Tu ressembles tellement à ta mère qu'ils vont tout de suite t'aimer. Tu leur diras qu'ils me manquent beaucoup et que je vais leur écrire, c'est promis. Tu sais des fois ton oncle..., commença-t-elle, sans finir. Elle cherchait à le justifier, mais en voyant mon expression, elle comprit qu'il n'était rachetable qu'à ses yeux.

– Eh bien ! Je dois y aller avant qu'Albert perde complètement la boule et se mette à tout casser dans la maison.

Sans plus, elle partit en courant. Je ne cessai pas de la regarder jusqu'à ce qu'elle disparaisse au loin. Alors j'ouvris le paquet qu'elle m'avait remis. À part le pain et le fromage, il y avait un chandail, une couverture et de gros bas de laine. Ces articles avec les cinq dollars valaient une petite fortune. Je voyais mal comment elle expliquerait leur disparition à son radin de mari. À ce moment-là, ma tante Rose devint une vraie sainte à mes yeux. Je rangeai tout dans mon balluchon, passablement alourdi, et suivis le sentier jusqu'au village.

CHAPITRE 4

Le renard

Alors que j'avais parcouru le sentier toute ma vie durant, il me semblait que je le découvrais pour la toute première fois. Les arbres, les feuilles et même la texture du sol sous mes pieds vibraient d'un éclat nouveau. J'avançais d'un pas rapide, courant presque vers ma nouvelle destinée. Je n'avais qu'une idée en tête : devenir riche comme Crésus. Curieusement, je ne doutais pas de ma réussite. Je me réjouissais déjà en imaginant mon oncle à mes pieds, me suppliant de lui donner un peu d'argent pour jouer aux cartes. Serais-je magnanime ou rancunier ?

Je fus tiré de ma rêverie par l'apparition extraordinaire d'un renard assis au milieu du chemin. Les oreilles dressées, la tête penchée de côté, il me fixait comme s'il m'attendait depuis un bon bout de temps. Je m'arrêtai à mon tour surpris par son comportement. Habituellement, un renard fuyait dès l'approche de l'homme, mais celui-ci était différent. L'éclat des rayons de soleil filtrant à travers la cime des arbres donnait à son pelage une teinte de roux doré sur tout le corps, à l'exception d'une étoile blanche et brillante sur la poitrine. C'était féerique.

Stupidement, je me dis que sa peau se vendrait à prix d'or. C'était ma chance. Sans hésiter, comme un étourdi, je me mis à courir après lui. Je ne sais pas à quoi je pensais. Sans armes ni piège, je ne disposais d'aucun moyen de l'attraper et pourtant, c'était sans importance. Sous l'impulsion du moment, j'étais sûr de réussir et convaincu que la pauvre bête se laisserait écorcher vive pour assurer le fondement de ma fortune. Le renard me regarda avancer tout près de lui avant de s'enfuir, sans vraiment se presser. Je le pris en chasse. Chaque fois que je le perdais de vue, il réapparaissait par enchantement et la course reprenait de plus belle. Ce petit jeu de cache-cache se poursuivit un bon bout de temps. Arrivé à une petite clairière, je ne trouvai plus trace du renard. Complètement exténué, je me laissai tomber. J'avais soif et me sentais tout à fait misérable. Qu'est-ce qui m'avait pris ? Je maudissais ma témérité. Toujours est-il que je me retrouvai perdu en forêt. J'avais pris tellement de tournants, fait tellement de montées et de descentes que je ne savais plus où se trouvait le sentier, la route ou le village. Quel abruti de première classe ! J'entendis au loin le grondement d'une chute. Comme un automate, je me relevai à la recherche d'un peu d'eau pour étancher ma soif.

Après ce qui me sembla une éternité, je parvins à une ouverture dans la forêt et sentis un crachin rafraîchissant m'arroser le visage. Je surplombais une chute d'une trentaine de mètres. La vue était spectaculaire. Je distinguai dans la vallée une ferme abandonnée, la terre en friche. Puis à force de regarder, je reconnus les bâtiments. Mais, c'était chez nous ! Puis mon cœur fit un bond.

– Tabarnouche ! Il y a de la fumée ! m'exclamai-je, incrédule.

Mon père était revenu ! IL ÉTAIT DE RETOUR ! Tout excité, j'eus envie de sauter dans la chute pour arriver au plus vite en bas et courir de toutes mes forces jusqu'à la maison. D'où j'étais, il n'y avait pas de sentier. À mon grand désespoir, je dus me frayer un passage pour descendre à la ferme, ce qui prit un temps fou. Rien n'allait assez vite à mon goût.

Une fois au pied de la montagne, je suivis la piste en courant. Je voyais au loin les bâtiments de la ferme, tous construits en rondins assemblés par tenons et mortaises. Plus j'approchais, plus je reconnaissais les moindres détails de la grange et de la maison : un environnement familier, tellement rassurant. Pourtant, j'y repérai quelque chose de différent. En approchant, je fus déçu de m'apercevoir que la cheminée ne fumait plus. L'avais-je rêvé ? Pris par le doute, je sentis mon cœur s'angoisser. Le message cloué à la porte, annonçant que j'étais chez tante Rose, avait disparu. « C'est bon signe », pensai-je. Dans la maison, vive déception, il n'y avait personne. Pour m'assurer que je n'avais pas rêvé, je touchai le poêle à bois. Il était encore chaud.

La maison familiale ne comprenait qu'une grande pièce, servant à la fois de cuisine, de salle de travail et de chambre à coucher séparée du reste par un rideau. Rien n'avait changé. Aux murs, il y avait quelques images saintes dans des cadres dorés, représentant Notre-Seigneur, la Vierge et les Saints, et au-dessus de la porte, un crucifix.

Près de l'entrée, c'était le côté cuisine, avec le poêle à bois, une table et deux chaises. Un des coffres pour ranger les vêtements et les couvertures servait de banc près de la table. C'était ma place. Sur la table reposaient les restes d'un repas, signes d'une présence récente.

Je sortis inspecter les bâtiments et les environs. Tout était désert. Sans doute mon père était-il en route pour me retrouver chez tante Rose. Je trouvai à l'entrée de la grange des peaux de lièvres et de ratons laveurs étirées pour sécher. Je n'avais jamais vu mon père travailler les peaux de cette manière auparavant. J'allai de découverte en découverte. Il y avait des poissons dans le fumoir attenant à la grange. Alors que le champ de blé était envahi par les mauvaises herbes, une parcelle du champ de patates était bien entretenue. Dans le jardin, les jeunes pousses se portaient à merveille. Je me demandai depuis combien de temps mon père était là, pour avoir fait autant de travail.

Avant de partir à sa recherche, j'avais besoin d'un moment de répit. La nuit blanche, les émotions de la matinée avec mon oncle, la mort de Noirot et la course folle en forêt me pesaient. Je retournai à la maison me reposer quelques instants. J'étais heureux de retrouver mon lit d'enfance. Bien que plus étroit que dans mes souvenirs, il avait gardé le parfum des jours meilleurs. Enveloppé dans ma couverture, me sentant bien et en sécurité, je somnolai en rêvasssant doucement à ma mère préparant le repas, puis je sentis l'odeur de sa bonne cuisine alors que mon mon père revenait du champ...

Le claquement de la porte d'entrée me tira de ma rêverie. Je ne savais plus où j'étais, puis je me rappelai... Mon père était de retour! Dans la pénombre de la pièce, j'aperçus une silhouette de dos s'affairant à ranimer le poêle à bois. Sans hésiter, je criai de joie :

– P'pa! P'pa!

L'individu se retourna en sursautant. Je me levai sur les coudes pour mieux le voir. Quelle surprise! Ce n'était pas mon père, mais un garçon, plus petit et plus jeune que moi. À ma vue, il prit ses jambes à son cou, comme s'il avait vu le diable en personne. Je m'élançai à ses trousses. Il était parti tellement vite que je doutai de pouvoir le rattraper. Mais non, il m'apparut au bout du sentier, ralenti par une violente quinte de toux. Plié en deux, la tête penchée par en avant, il tentait de reprendre son souffle en courant faiblement. J'en profitai pour le rattraper. Je m'approchai encore pour lui demander :

– Qui es-tu? Où est mon père?

Il se tourna brusquement et me sauta dessus en me griffant le visage et en me frappant de toutes ses forces. Un vrai petit démon. Je fus tellement pris de court par sa férocité que j'en tombai sur le dos, tout étourdi. Il en profita pour s'asseoir sur ma poitrine et me coincer les bras sous ses genoux. Normalement, j'aurais facilement renversé ce poids plume, mais le petit vlimeux savait comment s'y prendre pour me garder sous lui. Il continua à me rouer de coups. Pour m'achever, il prit une grosse roche à ses côtés et la souleva au-dessus de sa tête. Je lus dans ses yeux son intention de m'assommer ou, pire encore, de me tuer. Pris au piège, j'étais perdu. À la dernière minute quelque chose attira son attention. Son visage se figea de stupeur.

– *Matsheshu mihkysheu*[1] *!* s'exclama-t-il surpris, en laissant tomber la pierre à ses côtés.

Je profitai de sa distraction pour le renverser. Il ne fit aucun effort pour m'en empêcher, pris d'une vilaine toux. Curieux, je cherchai ce qui l'avait effrayé. Je vis le renard. Il nous regardait d'un air curieux, les oreilles dressées et le poil brillant d'un roux surprenant, à la brunante. Sans réfléchir, je saisis la pierre pour la lui lancer, mais il disparut avant qu'elle ne quittât ma main. Je me relevai péniblement, encore tout secoué. Le garçon restait étendu sur le dos à râler.

En titubant, je me dirigeai vers le puits près de la maison. Je bus une bonne gorgée d'eau glacée, puis m'arrosai copieusement la nuque. Le jeune n'avait pas bougé, toujours en état de crise. L'eau aidant, je repris mes esprits et me sentis coupable de le laisser souffrir sans l'aider un peu. Curieusement, j'eus peur qu'il rende l'âme et me laisse seul. Il but avidement l'eau que je lui apportai. Sa toux s'apaisa un peu, pour reprendre de plus belle. Il tremblait, les cheveux mouillés, tout en sueur. Il pouvait à peine parler sans tousser. Visiblement exténué, il me fit signe qu'il voulait rentrer dans la maison.

– Viens, lui dis-je en le prenant sous le bras.

Dans la cabane, il alla directement au poêle à bois, enleva le couvercle d'un gros chaudron en fonte et prit une pleine tasse d'un liquide blanchâtre, qu'il but d'un trait. Je ne pus m'empêcher de grimacer en sentant une forte odeur de pin et de pieds crottés envahir la pièce. Il esquissa un bref sourire en voyant ma réaction, s'essuya les

1. Le renard rouge !

lèvres du dos de la main et se versa une autre tasse du liquide infâme, qu'il but tout aussi goulûment. Comme par miracle, sa toux cessa et il respira mieux. Il remplit la tasse à nouveau et me la tendit.

– Toi aussi. Si tu ne veux pas avoir ce que j'ai, bois-la toute, me dit-il.

L'odeur répugnante me souleva le cœur. Je refusai net, d'un signe vigoureux de la tête.

– T'as vu, j'en ai bu deux tasses, puis je ne suis pas mort. J'vais mieux. J'tousse même plus, me dit-il en me présentant à nouveau la tasse avec un geste d'encouragement. Prends-la, si tu veux pas être malade comme moi, insista-t-il fermement.

Après une brève hésitation, je me pinçai le nez et bus le liquide puant. J'eus l'impression d'avaler une branche de pin de travers. L'odeur me monta au nez et me prit à la gorge. J'étouffai et eus envie de dégueuler violemment. Comme je n'avais pas tout bu, il insista :

– Je sais, je sais, mais c'est bon pour toi. Enweille, finis-le maintenant.

Après que j'eus tout bu, une chaleur rayonna dans tout mon corps. J'aidai mon nouvel ami à se coucher dans le grand lit où il s'endormit sur-le-champ, le souffle rauque. Le médicament devait être un puissant somnifère, car j'eus à peine le temps de me rendre à ma couchette avant de m'effondrer à mon tour.

* *
*

Je me réveillai aux sons dans la cuisine et trouvai étrange de voir un petit bonhomme, plutôt que ma mère, en train de s'affairer autour du poêle pour préparer le déjeuner. Comme je l'avais fait tant de fois dans mon enfance, je me levai et m'assis sur le coffre en cèdre près de la table, à ma place habituelle. Suspicieux et aux aguets, je ne savais pas si le petit démon me servirait à manger ou s'il se préparait à m'agresser avec le couteau à beurre. Il mit un bol de soupe devant moi.

– Tiens, ça va te faire du bien, dit-il, sans me regarder.

Cette bouillie laiteuse avait bon goût. Sans m'en rendre compte, je mangeais mon premier plat traditionnel amérindien, la sagamité. J'apprendrais à l'apprécier pendant les mois à venir puisqu'il serait au menu matin et soir. Heureusement, le plat changeait selon les ingrédients à portée de la main. En effet, comme mon nouvel ami me l'apprit au fil des jours, la sagamité est faite de graines de maïs desséchées réduites en poudre, qu'on dilue dans de l'eau amenée à ébullition jusqu'à la consistance d'un velouté, auquel s'ajoutent viande, poisson, petits fruits, gras, etc., selon leur disponibilité. Ce matin, un joyeux mélange de bleuets, d'ail des bois et de morceaux de poisson flattait mon palais.

Il me remit aussi un morceau de banique, une autre découverte gastronomique pour moi. Préparé à partir de farine, de poudre à pâte, de sel et d'eau, ce pain se cuisine sans four. La pâte bien pétrie est placée dans un poêlon, directement sur le feu. Le gonflement est lent et peu prononcé. Malgré ses propriétés nutritives, ce mets rudimentaire offre peu de saveur. J'avoue aujourd'hui, que ça ou manger de la farine à pleine bouche, c'est du pareil au même. À la longue, on s'y fait. On finit même par aimer cela.

La banique devint en quelque sorte notre pain quotidien, idéal pour nos grandes randonnées de chasse et de pêche, car facile à préparer sur place. J'enroulais la pâte sur un bâton placé près du feu que je tournais une fois de temps en temps, pour une cuisson uniforme. Ça donnait le plus croustillant des pains. Les jours de fête, je plongeais la pâte mélangée à des petits fruits dans de la friture, pour en faire une pâtisserie. Je découvrirais plus tard que la banique devient irrésistible, cuite dans l'huile de bacon. Ce matin-là, je trempai mon morceau de banique dans ma sagamité ; ça s'avalait mieux.

Je mangeai sans dire un mot en regardant le jeune s'en servir un bol, qu'il préféra manger debout. On se jaugeait l'un l'autre, comme à cache-cache. Lorsque je le regardais, il gardait les yeux rivés sur son bol. Et lorsque je ne le regardais pas, il en profitait pour m'épier. Je n'arrivais pas à me faire à l'idée qu'un si petit bonhomme ait pu me plaquer au sol et presque m'écraser le crâne d'une grosse pierre. Il n'atteignait même pas mon épaule et devait peser moitié moins que rien, tellement il était chétif. Le teint boucané, basané et presque cuivré, il avait de longs cheveux noirs noués derrière la tête, un visage émacié qui aurait dû être rond et bien joufflu, des yeux bruns, brillants et légèrement bridés, creux dans leur orbite, un nez mince et bien proportionné et des lèvres charnues encadrant de belles dents saines, droites et solides. Des lèvres, comme je l'apprendrais plus tard, au sourire facile.

Ses mains épaisses, rugueuses, avec de gros doigts, devaient être accoutumées au travail dur. Ses vêtements étaient élimés, son pantalon trop petit et ses bottes fatiguées, le cuir gercé, percé et marqué par l'eau. Il portait une de mes vieilles chemises, ce qui me choquait un peu, mais pour l'ensemble, il semblait plutôt inoffensif ce matin. Sa physionomie dénotait les signes évidents de la maladie qui l'accablait et lui donnait une apparence famélique.

D'un geste brusque, je donnai un coup de pied à l'une des chaises pour la décoller de la table, et lui lançai :

– Assis-toi, j'te mangerai pas.

C'était bête comme remarque, mais je n'étais pas d'humeur à être gentil. Après une légère hésitation, il s'assit. On continua à manger en silence, un silence lourd, pesant et difficile à supporter. Pour alléger l'atmosphère, je lui dis que sa bouillie était bonne. Il hocha la tête et continua à manger, les yeux toujours rivés sur son bol. Depuis le début, il ne m'avait pas regardé franchement, comme gêné par son comportement de la veille. Puis, c'est sorti d'un trait, je dis tout haut ce qui me tracassait :

– Tabarnouche ! T'aurais pu me tuer avec ta maudite roche !

Je le dis sans reproche, plutôt comme une constatation effroyable. La veille au soir, j'avais frôlé la mort d'un peu trop près à mon goût. Dans le fond, j'étais surpris d'être encore là. Pour la première fois, il me regarda droit dans les yeux et se justifia :

– Mais je pensais que t'étais venu me chercher…

– Te chercher ? Mais pourquoi ? J'te connais même pas, répondis-je, vexé. Je pensais que t'étais mon père. J'ai même crié « P'pa » en me levant du lit. J'pensais que t'étais lui. Quand tu t'es sauvé, j'ai voulu te rattraper pour savoir si t'avais de ses nouvelles.

– Mais je ne le savais pas ! Quand t'as couru après moi, j'ai cru que tu t'étais caché pour m'attraper et me ramener. Je me suis juré de mourir plutôt que de retourner là-bas. Quand tu m'as rattrapé, j'étais bien décidé à en finir une fois pour toutes, ajouta-t-il d'un ton de défi, le regard menaçant.

Plus ça allait, plus le ton montait, accusateur, plein de reproches de part et d'autre. Craignant que l'échange finisse en engueulade de première classe, je restai coi et continuai à manger la sagamité, qui sembla tout d'un coup avoir suri. De toute évidence, on avait été victimes d'un malentendu, d'une grande confusion et tout ça, de façon regrettable, au péril de ma vie. Perdu dans mes réflexions, je lui demandai :

– Qu'est-ce qui t'a empêché de m'écraser le crâne ? Le renard ?

Il me regarda, surpris.

– Tu l'as vu aussi ? Je pensais que j'étais le seul à le voir...

Je lui contai mon aventure de la veille et comment le renard m'avait ramené à la maison. Il m'écouta attentivement, sans m'interrompre. À la fin de mon histoire, il resta silencieux un long moment, les yeux fixés sur moi sans vraiment me voir, débattant en son for intérieur si ma rencontre avec le renard l'autorisait à me faire des confidences. Il se servit une nouvelle louche de sagamité et se rassit. Il était arrivé à une décision et dit, d'une voix sans timbre :

– Par où commencer ?

– Par le commencement, ça se comprend mieux, répondis-je.

– Ça risque d'être long.

– Ouais ! Mais ce n'est pas le temps qui manque, fis-je, sourire en coin.

Puis, sans attendre, sans se faire prier ni se presser, il m'apprit son histoire.

CHAPITRE 5

Luc-John

Il s'appelait Luc-John Niquay, de la vallée de la rivière Grise. Il ne me révéla jamais le nom de sa tribu. Peut-être croyait-il se protéger en évitant d'en parler. Et pourtant, personne n'était moins apte que lui à cacher sa vraie nature, tellement il la vivait avec passion et enthousiasme. Grâce à lui, je découvris tout un monde de mystères et de légendes.

Curieux prénom que Luc-John... Sa grand-mère insista pour le baptiser ainsi, en l'honneur des deux saints hommes de son enfance : le bon père Luc, de la mission des Oblats et John, le pasteur anglican. Autant elle était bonne chrétienne, autant son mari détestait les religieux de tout acabit. Grand-père Niquay insista donc pour que le jeune frère de Luc-John, Sakay, porte un nom traditionnel. La religion constituait le seul point de discorde dans le vieux couple. Pour le reste, elle était aussi farouchement amérindienne que lui.

Son grand-père ne lui reprocha jamais son nom de Blanc. En revanche, il s'efforça de le mouler aux valeurs et aux traditions de ses ancêtres. Dès sa plus tendre enfance, Luc-John l'idéalisa et le suivit partout. Il s'évertua à vivre selon ses préceptes, ce qui n'était pas une mince affaire. Au grand conseil de bande, grand-père Niquay s'imposait par l'exemple. Un jour, révolté par les ravages de l'alcool parmi les siens, il interdit strictement sa consommation aux membres de sa famille et encouragea les chefs des autres clans à en faire autant. Pour lui, l'eau-de-vie était un mal insidieux qui s'attaquait au tissu social de son peuple. « La grande ruse des Blancs pour nous mater, répétait-il avec colère. Ils veulent que nous renoncions à tout ce qui est bon en nous et ne nous laissent en retour que la honte et le dégoût de nos traditions et de notre mode de vie. »

Le peuple de Luc-John vivait au rythme des saisons. Au début de l'hiver, ou *Pitcipipon*, commençait la période de piégeage du castor, de la loutre et du rat musqué, qui se terminait au plus tard en mai. En plus de visiter les pièges, son père pêchait sous la glace avec des filets et fabriquait des raquettes. Sa mère et sa grand-mère confectionnaient avec les peaux des vêtements de tous les jours et de cérémonie. Au printemps, ou *Sikon*, débutait la chasse de l'ours et des oiseaux migrateurs de retour du sud. Selon Luc-John, ce n'était pas une vie facile, mais lorsque la chasse était bonne, il n'y en avait pas de meilleure.

Le séjour au campement d'hiver se terminait en juin, au moment du grand pow-wow au poste de traite du lac Poisson Blanc. C'était l'occasion de reprendre contact avec les autres membres de la tribu. Son père en profitait pour vendre les peaux et acheter les provisions pour la prochaine saison de chasse. Début juillet, toutes les familles se réunissaient à la chapelle de la mission des pères Oblats, dans la petite baie, pour célébrer les baptêmes des enfants nés pendant l'hiver et pour marier les nouveaux couples. Lors de cette grande fête, Luc-John et Sakay revêtaient leurs costumes richement décorés de perles et de plumes. De tous ses vêtements d'apparat, Luc-John préférait les mocassins fabriqués par sa grand-mère, articles prisés et convoités par toute l'assemblée. Lors des baptêmes, grand-mère Niquay se faisait un devoir d'en remettre une jolie paire à chaque nouveau-né. Geste apprécié par les mamans, souvent émues, car recevoir des mocassins à la naissance représentait l'assurance d'une vie pleine de bonheur et de prospérité pour leur poupon.

N'eût été le commerce des peaux, grand-père Niquay n'aurait jamais quitté le camp de chasse familial. Une fois le troc terminé, il avait hâte de retourner là où il se sentait le plus chez lui, creux en forêt, mais sa femme insistait pour rester jusqu'à la fin du grand rassemblement. Grand-mère voulait assister à toutes les célébrations religieuses, matin et soir. Ainsi espérait-elle se racheter de ses absences aux messes dominicales le reste de l'année, le camp d'hiver étant trop loin de la mission. Son mari prenait son mal en patience. Alors qu'il fuyait tout ce qui était religieux, grand-père Niquay s'adonnait avec joie aux diverses festivités du camp d'été. Bon conteur, il attirait une ribambelle d'enfants qui s'agglutinaient autour de lui, devant le feu de camp. Il avait une belle voix et pouvait chanter toute la nuit, souvent avec la mère de Luc-John. En duo, il n'y avait rien de plus beau. Les gens venaient de partout les écouter, même les Blancs. Fringant, l'aïeul avait un pas de danse qui faisait l'envie des plus jeunes comme des plus vieux. Rien ne rendait Luc-John plus heureux que de danser à ses côtés pendant des heures, en compagnie de son père et de Sakay.

Sa mère chantait tout le temps, été comme hiver. Le matin, sa belle voix invitait *Pisimw*, le soleil, à chasser le mauvais temps. Elle remerciait Terre-mère de sa générosité en fredonnant pendant la préparation des repas ou la cueillette des petits fruits. Luc-John adorait l'écouter. Lorsqu'il revenait de jouer avec son jeune frère, des collations les attendaient, composées soit de petits fruits séchés et de noix, soit de sagamité ou de banique avec quelques morceaux de viande ou de poisson fumé et séché. Elle les gâtait tout le temps, au plus grand bonheur de son mari, radieux. Armés de leur arc d'enfant, Sakay et Luc-John passaient leurs journées dans les bois à tirer sur tout ce qui bougeait. À force de s'y aventurer, ils découvraient les secrets de la forêt sans jamais s'y perdre. Pendant les journées chaudes, ils se baignaient du matin au soir et pêchaient à la lance. Peu de poissons échappaient à Luc-John, alors que Sakay devenait très habile avec son arc, abattant un lièvre à plus de huit pas. Seuls, sans école, sans professeur autoritaire ni discipline, tout en s'amusant la plupart du temps, ils apprenaient comment survivre en forêt et devenir de bons pourvoyeurs pour le clan.

Le soir, près du feu, Sakay et Luc-John adoraient écouter leur père conter sa journée de chasse ou de pêche. Sans vraiment en prendre conscience, ils apprenaient tout sur le comportement des animaux. « Les gens qui parlent de la ruse du renard ne connaissent pas *Mahikan*, le loup, disait le père. Il a une mémoire prodigieuse et remarque les moindres détails sur son passage. Un bon trappeur se doit de tout remettre exactement comme c'était avant qu'il ne pose le piège et dissiper toute trace de son odeur sinon le loup passera tout droit. Malgré tous mes efforts pour le tromper, le loup a toujours deviné ma ruse et réagi à l'opposé de ce que j'avais prévu. Des fois, je pense qu'il s'amuse comme un petit fou à mes dépens. » Pour terminer la soirée, grand-père Niquay leur parlait de Wacondah, le Grand Esprit. Grâce aux légendes qu'il leur raconta avec passion, Sakay et Luc-John apprirent la genèse du monde, la création de l'homme et les différents dieux et malins de son univers extraordinaire.

Un jour alors que nous parlions de préparation pour l'hiver afin d'éviter la famine, il me conta la tragique histoire du *wendigo*, le mauvais esprit qui hantait les tribus par grand froid alors que le gibier se faisait rare.

* *
*

Lorsque sa femme mourut de faim, Anish-nahbe coupa une fine lamelle de sa cuisse. « Seulement un tout petit morceau, ma femme, pour que tu restes toujours présente en moi », dit l'homme affamé, pour justifier son geste. Malgré lui, dès la première bouchée, son appétit s'accentua, le poussant à en prendre un autre morceau, plus gros, ce qui redoubla d'autant sa faim, et ainsi de suite... Lorsqu'il ne resta plus que les os, il les rongea voracement, puis les brisa et en suça la moelle. Comme il ne restait plus rien de la dépouille, il se mit à manger son propre corps, d'abord ses orteils, puis ses lèvres. Enfin, il s'attaqua à ses doigts, qui devinrent de longues griffes venimeuses et mortelles. Son besoin de chair humaine le tourmentait tout le temps. Ses longs cris terrifiants dans la nuit étaient autant de plaintes aiguës d'un être qui, même gavé, était perpétuellement harcelé par la faim. C'était son châtiment pour avoir mangé de la chair humaine. Pour tromper ses victimes, le wendigo avait le pouvoir de se transformer. Parfois, il n'était qu'une ombre, mais le plus souvent, il prenait l'apparence d'un être humain. Heureusement, sous cette forme, ses yeux rouges le trahissaient.

Ainsi, après plusieurs jours en forêt, le grand chasseur Imasi vit un étranger approcher au loin, alors qu'il préparait ce qui lui restait de nourriture : de la graisse d'ours fondue avec un peu de banique. Heureux de reconnaître son vieil ami Moyou, Imasi l'invita à partager son maigre repas. Moyou ne dit pas un mot en s'assoyant, comme à son habitude. Un bref instant, Imasi crut apercevoir une lueur rouge sous la grande capuche de daim que son ami portait pour se protéger du vent. Avait-il bien vu ? Alors qu'Imasi s'apprêtait à lui servir le suif brûlant, Moyou se transforma en wendigo atroce. L'odeur viciée de soufre et d'œuf pourri les enveloppa, suffocante. D'un geste de panique, Imasi lança l'huile bouillante sur le cœur de glace du monstre, visible sous sa fine peau transparente. Le wendigo poussa un cri d'agonie à faire blanchir les cheveux de quiconque l'entendait, puis il éclata en mille morceaux de glace fumante. Frissonnant d'une sueur froide, Imasi remercia l'esprit du feu de l'avoir sauvé. La première personne qu'il rencontra, en revenant au village, fut Moyou. « Le wendigo serait-il revenu ? » se demanda-t-il inquiet. Ce n'est qu'en voyant les yeux souriants de son ami qu'il comprit que le wendigo avait disparu pour de bon. Moyou le regarda curieusement et dit : « Imasi, mon frère, que t'est-il arrivé ? Ta chevelure est toute blanche ! » Imasi conta son aventure et devint, dès lors, Imasi Nictikwan Wapaw, Imasi à Tête Blanche, le tueur de wendigo. Peu d'intrépides peuvent se vanter d'avoir accompli un tel exploit.

* *
*

À la fin d'un été, lorsque la famille de Luc-John revint au camp d'hiver, les choses avaient changé. En amont de la rivière, les Blancs avaient construit un camp de bûcherons.

– Même ici, dans les profondeurs de la forêt, ils viennent prendre nos terres. Pas moyen de fuir ces êtres maléfiques, se plaignit amèrement grand-père Niquay.

La présence et surtout le bruit de tant d'hommes affairés à couper du bois avaient chassé les animaux de la forêt. L'orignal, leur principale source de viande pour l'hiver, avait disparu. La chasse ne rapporta plus que de rares petits gibiers, pas de quoi sustenter un homme, encore moins une famille affamée. En peu de temps, le clan épuisa ses maigres réserves et la famine s'installa pour de bon.

Cette année-là, l'hiver fut plus cruel que d'habitude, le vent plus violent, incessant et glacial, et le froid plus intense et mordant. Le bruit constant des bourrasques fouettant la toile de la tente ainsi que les spasmes de la faim empêchaient Luc-John de dormir. Le spectre de la famine l'amena à craindre le *wendigo* des légendes indiennes. Pour implorer la clémence du vieil homme Hiver et attirer quelques belles prises pour nourrir tout le clan, son grand-père organisa avec les hommes une cérémonie pour demander grâce. Les danseurs portant des masques sacrés bougeaient au rythme des tambours, mais le ciel se remplit d'une poudrerie aveuglante composée de millions de fines échardes de glace emportées par un vent si violent et tenace, que les hommes flagellés durent écourter la cérémonie. Ils essayèrent de nouveau à quelques reprises et, chaque fois, la poudrerie les giflait avec une telle violence qu'elle figeait leurs larmes, givrait leurs cheveux, alourdissait leurs pieds et gelait leurs mains pour éteindre les tambours. C'était de mauvais augure. Le regard perdu dans le vide, grand-père Niquay murmura, troublé :

– J'ai bien peur que le vieil homme Hiver souhaite notre mort.

Il envoya des hommes demander de l'aide aux familles avoisinantes, mais toutes vivaient durement les affres de cet hiver. Elles partagèrent leurs maigres provisions, mais ce n'était pas assez pour chasser le spectre de la mort. Après beaucoup de discussions, les sages du clan décidèrent que leur seule chance de survie était de trouver refuge auprès des moines du monastère de la Chute-des-chênes, réputés pour la sagamité à volonté qu'ils offraient au service dominical. Le regard affamé des enfants poussa grand-père Niquay à céder malgré sa grande méfiance des Blancs et des religieux en particulier. Il redoutait de placer le destin de son peuple entre les mains de gens qui n'avaient pas vraiment leur intérêt à cœur et cherchaient plutôt à les changer.

– Que nous demanderont-ils de renier pour un peu de sagamité ? s'inquiéta-t-il. Car les Blancs sont comme ça, ils n'offrent rien sans tout prendre en retour.

Sans rien emporter, le clan s'enfuit à la petite chapelle du monastère. Un vrai blizzard charriant neige et glace s'acharna sans relâche sur le petit groupe tout le long du parcours. Affaibli par la faim et constamment harcelé par le froid, Luc-John craignit de ne jamais y arriver. L'espoir lui revint lorsqu'il vit poindre au-dessus des arbres la croix de la petite chapelle perchée sur la montagne. Sentant sa prise lui échapper, hurlant et criant de rage, le vent du nord s'attaqua sans relâche au bâtiment, mais la petite chapelle en rondins équarris était solide. Soulagé d'être à l'abri, Luc-John remarqua en entrant une immense croix, avec un Christ agonisant, accrochée au mur du fond.

– Comment fait-on pour honorer ça ? demanda-t-il à son grand-père.

– Fie-toi aux Blancs pour se donner un totem pareil, répondit l'aïeul avec dégoût.

Au-dessous de la croix se dressait le tabernacle, sur un autel sobrement décoré de branches de sapin et de quelques fleurs sauvages séchées. Pour le reste, la pièce était complètement vide. Les membres du clan furent intimidés par les lieux. Ils parlaient à voix basse et restaient agglutinés au centre de la petite pièce. La faim reprit le dessus, les tenaillant de plus belle. Certains, plus entreprenants, se mirent à fouiller les moindres recoins du bâtiment, à la recherche de nourriture. En fin de compte, il n'y avait pas plus de nourriture dans la chapelle que dans leurs tentes en pleine forêt. Les discussions allaient bon train à savoir qui irait demander de l'aide au monastère. Comme grand-mère Niquay était connue des pères, elle fut désignée, avec quelques femmes du groupe.

Au moment où la délégation s'apprêtait à partir, la porte de la chapelle s'ouvrit brusquement. Deux jeunes moines entrèrent, l'un grand et l'autre petit. Tous deux secouèrent leur manteau et tapèrent des pieds avec fracas pour se débarrasser de la neige. Sans même prendre le temps de se présenter, le plus grand demanda d'un ton impérieux pourquoi le clan de Luc-John se trouvait là, puis ajouta :

– Le service dominical, le mot le dit, est célébré le dimanche. Revenez dimanche ! D'ici là, allez ouste ! Dehors ! Vous ne pouvez pas rester ici, dit-il en ouvrant la porte et en leur faisant signe de sortir au plus vite.

« Revenir dimanche, c'est quoi ? » s'interrogea Luc-John. Passe pour nommer les mois de l'année, puisque les Amérindiens désignaient les différentes périodes de l'année selon le rythme de la nature : *Kenositc Pisim* (janvier), le mois le plus long, *Akokatcic Pisim* (février), le mois où le siffleux sort, *Nikikw Pisim* (mars), le mois de la loutre, etc. Mais le besoin de diviser les mois en semaines, les semaines en jours dotés chacun de noms différents, puis les journées en heures, les heures en minutes et les minutes en secondes, appartenait aux Blancs. Vouloir tout ordonner et régenter constituait leur carcan et non celui des Amérindiens. Pour Luc-John et les siens, « revenir dimanche » voulait dire mourir de froid et de faim, tout simplement.

Pendant que le grand moine s'efforçait de les faire sortir, le petit les regardait avec une méfiance doublée de mépris. De toute évidence, le clan n'était pas le bienvenu. Toutefois, personne ne bougea. Quoi ? Ils étaient venus demander de l'aide, et on les chassait sans ménagement. Grand-mère Niquay s'avança pour expliquer leur situation désastreuse. Le grand moine l'écouta à peine. Comme le groupe désespéré s'apprêtait à partir, un moine plus âgé entra, les joues rougies par le froid. Il était encore plus grand et plus mince que le grand malpoli. Il dut lever le nez pour les regarder par-dessus ses lunettes embuées, ce qui n'aida pas à le rendre sympathique. Toutefois, contrairement aux deux autres, il sembla sincèrement heureux de les voir.

– Qu'est-ce qui se passe ici, frère Samuel ? demanda-t-il.

Puis il vit les hommes, les femmes et les enfants serrés les uns contre les autres dans un coin, visiblement anxieux. Jamais il n'y avait eu autant de monde dans la petite chapelle. « Il ne faut surtout pas les effaroucher », pensa le vieux moine. Avant que frère Samuel ne réponde, il s'adressa à eux dans leur langue, avec un fort accent :

– Soyez les bienvenus dans la maison de Dieu. Je suis le père Anselme. Dom Clément, le père supérieur, me prie de vous accueillir à la chapelle du monastère Saint-Michel-Chute-des-chênes.

Quand ses lunettes se désembuèrent, il reconnut la grand-mère de Luc-John, qu'il salua. À l'intensité des regards fiévreux, il prit conscience de la grande détresse du groupe. Après une brève estimation, il dit alors au plus grand des moines :

– Frère Samuel, va au monastère chercher six boisseaux d'épis de maïs séchés. Tu iras ensuite à la cuisine demander au frère Benoît de te remettre un quartier de bœuf ou encore mieux, les pièces d'orignal et de chevreuil que les paroissiens nous ont données à l'automne. Je crois que ce sera assez pour les remettre sur pied. S'il te pose des questions, dis-lui que Dom Clément est d'accord.

Établir une chapelle en bordure de la réserve pour évangéliser les autochtones avait été le projet du vieux moine. Toutefois, ériger une chapelle ne garantissait pas la foule. Les résultats obtenus à ce jour avaient été décevants et la récolte de nouvelles âmes, plutôt mince. Pour encourager la participation des autochtones, le père Anselme avait offert de la sagamité à la fin du service, mais sans grand succès. Et voilà que le destin se chargeait d'amener tout un clan à sa chapelle, comme quoi la Providence n'abandonnait pas les gens de bonne volonté.

Pendant le partage des provisions, le père Anselme apprit les malheurs du clan de Luc-John et, en particulier, comment l'activité des bûcherons avait chassé les animaux du camp d'hiver. Il invita le clan à s'installer à proximité de la chapelle, en bas de la côte, le long de la baie, près de la rivière. En plus d'être propice à la pêche, l'endroit foisonnait de gibier, petit et parfois gros, et permettrait au groupe de vivre à nouveau de la chasse. Le seul inconvénient, selon grand-père Niquay, fut l'obligation de se présenter à la petite chapelle pour la messe du dimanche.

Curieusement, une fois les provisions assurées, l'hiver se calma, abandonnant sa quête meurtrière, au grand soulagement de Luc-John. Il faisait bon vivre à nouveau, et pourtant...

CHAPITRE 6

Le déchirement

J'aurais pensé que les affres de la famine et les débordements du vieil homme Hiver auraient suffi à graver à jamais cette année catastrophique dans la mémoire de Luc-John. Mais non. Il s'attrista plutôt au sujet de son grand-père. Une fois le camp d'hiver monté près de la chapelle, son aïeul devint distant, préoccupé et distrait. Plusieurs crurent qu'il réagissait mal à la proximité des Robes noires. Puis un jour, il s'effondra, désorienté, la vision embrouillée... Il pouvait à peine parler et n'arrivait plus à avaler. Couché, inerte sous la tente, sa respiration n'était plus qu'un râle entrecoupé de longs silences.

– Son esprit cherche à quitter son corps, remarqua sa femme.

Grand-mère Niquay qui croyait en Jésus sauveur de tous les hommes, le baptisa en catimini. « Au moins, comme ça, j'ai une chance de le retrouver au Paradis », se rassura-t-elle. Luc-John savait que pour son grand-père, la mort n'existait pas.

– Nous pagayons sur la rivière de la vie, où les eaux calmes et paisibles alternent avec des courants rapides et tourmentés. La mort n'est qu'un portage dans le monde des esprits, menant à une autre vie. Les rêves nous donnent un aperçu de ce monde aussi vrai et réel que celui de la terre, lui avait-il révélé.

Pendant trois jours, les membres du clan veillèrent le corps sans le déplacer. Selon les Amérindiens, l'esprit peut prendre quelques heures ou même des jours à quitter le corps, le temps que l'âme rassemble tous les souvenirs du défunt. Si l'on déplace la dépouille trop tôt, il arrive que l'âme ait de la difficulté à retrouver l'esprit et à s'envoler avec lui vers une prochaine vie. Elle serait donc condamnée à l'errance et à la souffrance, tant qu'elle n'aurait pas retrouvé le chemin de la lumière.

Après le décès de grand-père Niquay, plus rien ne fut pareil. Et comme si ce n'était pas assez, sa femme, celle qui aimait confectionner des mocassins pour les poupons, le suivit quelques mois plus tard. Comme tous les autres étés, le clan partit pour le grand pow-wow au poste de traite du lac Poisson Blanc. Pour la première fois, Luc-John remarqua que les garçons plus âgés se moquaient de son parler. Puis il observa, tout étonné, que son beau costume d'apparat n'avait plus le même attrait pour les autres autour de lui. Il n'était pas le seul à ressentir un certain malaise, car la famille partit tôt, n'ayant plus le cœur à la fête. Comme le camp traditionnel fourmillait toujours de bûcherons, le clan retourna s'établir à proximité de la chapelle et des Blancs.

Un jour, l'apparition d'une automobile au beau milieu du camp ameuta tout le monde. Le père Anselme en descendit, accompagné d'un petit homme austère habillé d'un complet noir et affublé d'une grande moustache. Lorsque Luc-John et Sakay voulurent s'approcher de la voiture, l'homme aboya quelque chose dans une langue qu'ils ne comprirent pas. À ses yeux sévères et à ses gestes menaçants, ils saisirent qu'il ne fallait pas toucher au véhicule, mais du moment qu'il tourna le dos, ils ne purent résister.

Étant donné que l'étranger ne parlait pas leur langue, le religieux en qui le clan avait confiance agit comme interprète. Transmises par le bon père, les paroles du fonctionnaire les leurrèrent toutefois dans un faux sentiment de sécurité. En gros, le père Anselme traduisit :

– Comme vous savez, le gouvernement, en tant que bon père de famille, se soucie du bien-être de ses enfants. Il croit que, pour réussir de nos jours, il est important que tous ses enfants, y compris ceux de votre famille, aient une bonne éducation. C'est pourquoi il a pris des mesures pour envoyer Luc-John et Sakay au pensionnat du lac de la Marmotte. Là, ils apprendront non seulement à lire et à écrire, mais aussi un métier pour gagner leur vie. Vous n'avez pas à vous soucier d'eux. Ils se feront des tas d'amis là-bas. On s'occupera de tout : du transport, des vêtements et de la nourriture. Pendant les pluies de l'automne et les grands froids de l'hiver, ils seront hébergés, au chaud, dans une belle grande maison. Tout ça, aux frais du gouvernement, vous n'aurez absolument rien à payer.

– Le gouvernement n'a jamais rien fait de bon pour nous, affirma gravement la mère de Luc-John.

Son père hocha tristement la tête avant d'ajouter :

– Je connais le lac de la Marmotte, c'est loin, très loin d'ici. Nous ne reverrons pas nos enfants avant le grand pow-wow de l'été prochain. C'est long, très long sans eux auprès de nous. Pourquoi le gouvernement, qui est si sage, ne fait-il pas son école ici, à la chapelle ou au monastère ? Comme ça, Luc-John et Sakay n'auraient pas à partir si loin.

Le père Anselme eut du mal à répondre. Finalement, il invoqua une consolation :

– Vous pourrez les visiter quand vous voudrez. Ce n'est pas si loin, en train. Vous verrez, le temps passera très vite. Luc-John et Sakay seront bientôt de retour parmi vous, deux beaux jeunes hommes, bien instruits. Ils vous en remercieront. Vous serez tellement fiers d'eux.

– Qui a de l'argent pour prendre le train ? demanda le père de Luc-John. Je gagne à peine assez de la traite des fourrures pour payer les provisions essentielles au camp d'hiver.

Visiblement, une aussi longue discussion déplaisait à l'agent du ministère des Mines et des Ressources[1]. « Le moins on leur en dit, le mieux c'est », pensait-il. Sa manière d'agir était la meilleure. D'habitude, il arrivait accompagné d'un policier et informait les parents que leurs enfants devaient l'accompagner au pensionnat. « C'est la loi », insistait-il, d'un ton ferme. Si les parents osaient protester ou résister, il invoquait son pouvoir de les arrêter et de les mettre en prison. Cette menace ainsi que la présence du gendarme suffisaient pour qu'il parte avec les enfants sans

1. Il s'agit du ministère chargé des affaires autochtones, à l'époque.

problème. Les pires étaient les femmes. Souvent, elles se mettaient à crier comme des démentes, s'agrippaient aux enfants et s'attaquaient à quiconque tentait de s'en approcher. La plupart du temps, les maris restaient là impuissants, muets et impassibles, trop abasourdis pour réagir. Parfois, ils tentaient de raisonner leur femme incontrôlable. Aidé du gendarme, le fonctionnaire arrachait les enfants à leurs parents et les amenait de gré ou de force. Il arrivait à l'occasion que toute la famille soit mise en état d'arrestation. Les parents allaient en prison pour quelques jours, le temps de réfléchir, alors que les enfants étaient conduits au pensionnat, comme prévu. L'agent admettait que sa méthode était plus brutale que celle du père Anselme, mais elle avait fait ses preuves.

– Vous n'avez pas besoin d'un policier, lui avait assuré le père Anselme. Je vous accompagnerai. Tout ira très bien, vous verrez.

– Mon Père, votre méthode ne marchera pas ! Je le sais par expérience, avait répliqué le fonctionnaire, frustré par autant de naïveté.

Il regrettait amèrement d'avoir cédé. De toute évidence, la confrontation qu'il avait redoutée se confirmait, puisque l'échange se corsait. Les parents de Luc-John s'énervaient et s'empourpraient de plus en plus. Non, ça n'allait pas bien du tout. « Ils ne me laisseront pas partir avec les enfants. Un vrai désastre. Ah ! Si seulement le policier était là », soupira-t-il.

– C'est assez, Père Anselme. Nous perdons notre temps. Dites-leur que les enfants pourront rester, déclara le fonctionnaire, bien décidé à revenir prendre les enfants dans l'heure suivante, avec un gendarme. À sa grande surprise, le père Anselme lui dit :

– Ils vous demandent de revenir demain matin. Les enfants seront prêts pour aller au pensionnat.

– Revenir demain ? Mais on ne respecte pas les règles, balbutia le fonctionnaire, complètement désemparé par la tournure des événements. Normalement, je dois repartir tout de suite avec les enfants. Vous vous rendez compte qu'attendre à demain, c'est leur donner l'occasion de s'enfuir, ajouta le fonctionnaire, bien décidé à contester l'entente péniblement obtenue.

– Vous n'avez pas à vous inquiéter. Je connais ces gens. S'ils me disent que les enfants seront prêts demain matin, eh bien, ils seront prêts.

– Je n'ai pas à m'inquiéter, vous me dites ? aboya le fonctionnaire, rouge de colère. Je connais ces gens-là mieux que vous. Ce sont des sauvages qui n'ont pas de parole.

Le père Anselme fit une grimace.

– Je vous garantis que les enfants seront là demain matin. Vous n'aurez pas à revenir. Je m'occuperai de les amener à la gare avec le frère Jean.

– Tout ça est absolument contraire aux règles ! Eh bien, ils font mieux d'être là ! C'est tout ce que j'ai à vous dire, menaça l'autre, de mauvaise humeur.

Que les enfants soient là ou non, il était évident que le fonctionnaire se plaindrait auprès de l'évêque.

* *
*

Fréquenter un pensionnat, même à une grande distance de la maison, n'est pas une catastrophe en soi. N'avons-nous pas tous quitté la jupe de notre mère à un jeune âge pour les bancs d'école, sans pour autant en être traumatisés ? Toutefois, la peur que vécut Luc-John n'était pas imaginaire ni exagérée, comme je l'appris de témoignages plusieurs années plus tard.

L'obligation imposée aux Amérindiens d'envoyer leurs enfants aux pensionnats autochtones n'était pas une mesure aussi altruiste que le fonctionnaire le laissa paraître. En fait, le gouvernement visait à extirper l'Indien de l'Amérindien. Dès 1870, des pensionnats furent établis à travers le pays et leur gestion confiée aux différentes églises chrétiennes, aussi bien protestantes que catholiques, avec le mandat de procurer aux jeunes Amérindiens une éducation qui mettrait en valeur les mœurs et les pratiques chrétiennes, au détriment de leurs langues, leurs cultures et leurs traditions. Pour réussir, le gouvernement s'efforça d'enrôler les enfants très jeunes, au plus tard à sept ans, avant qu'ils n'aient pris de mauvais plis. La transition devait se faire sans heurt. La réalité fut tout autre et beaucoup plus dommageable.

Je pris connaissance d'un rapport d'enquête des années 1920 révélant qu'en raison du sous-financement chronique des pensionnats par le gouvernement, les jeunes Amérindiens recevaient une éducation à peine passable et vivaient plutôt dans un climat de négligence, de maladie et souvent, de mauvais traitements. Rebutés par la nourriture étrange et souvent insuffisante qu'on leur servait, confinés à des locaux exigus, contaminés par des maladies contagieuses graves comme la tuberculose et privés d'amour familial, bon nombre d'entre eux mouraient dès les premières années. Luc-John n'avait pas une toux tenace par hasard... À la suite du rapport, le gouvernement promit d'augmenter substantiellement les budgets pour corriger les lacunes, une fois pour toutes. Toutefois, la crise économique de 1929 vint tempérer sa résolution. Il fallait faire mieux avec moins. Dix ans plus tard, la situation n'avait guère évolué.

J'appris que, très jeune, grand-père Niquay avait connu les tourments du pensionnat. Il en était revenu bouleversé après sa première année. Bien résolu à ne plus jamais y retourner, il s'était enfui avec ses parents dans la forêt profonde, aussi loin que possible de toute route, de tout bâtiment et de toute institution de Blancs. Le souci d'échapper aux autorités l'avait motivé toutes ces années à pousser tout le clan à fuir les Blancs. Mais, il y avait encore plus. Au fil des ans et au contact des autres clans lors des grands pow-wow, grand-père Niquay apprit combien les jeunes issus du pensionnat perdaient leur culture et, sans repères, sombraient dans l'alcoolisme et la violence. Il se jura qu'il ferait tout en son pouvoir pour éviter un tel drame à ses enfants et à ses petits-enfants.

Pour cette raison, à l'abri dans la forêt profonde, le père de Luc-John ne connut jamais les peines du pensionnat. Mais, les gens sont curieux. Même s'il ne s'en était jamais plaint, il avait souffert dans sa jeunesse de ne pas y suivre les autres enfants. Certains s'étaient amusés à lui dépeindre une belle vie là-bas. Même aujourd'hui, à l'âge adulte, il ressentait une certaine gêne devant ces gens prétendument instruits. Plus conciliant, moins méfiant des Blancs et des religieux, il ne redoutait pas le pensionnat. C'est pourquoi il ne profita pas de la nuit pour s'enfuir avec Luc-John et Sakay dans la forêt, comme l'aurait fait son père, grand-père Niquay. Luc-John lui en voulut longtemps.

* *
*

Le matin du départ, leur mère insista pour que Sakay et lui portent leurs plus beaux costumes de cérémonie. Luc-John passa entre ses jambes une peau de daim soyeuse, appelée brayet, une sorte de pagne, qu'il attacha à la taille tout en s'assurant que le pan avant, décoré d'un castor stylisé, soit bien visible. Il mit ensuite des guêtres en cuir de chevreuil, aussi gravées de castors. Il enfila une tunique aux manches amovibles puis ajusta une ceinture à sa taille, toutes deux richement décorées de perles blanches et pourpres créant des motifs de carrés et de losanges. Son plus vif plaisir fut de chausser les mocassins de sa grand-mère, les derniers qu'elle lui confectionna avant son décès.

Sa mère s'était levée tôt pour lui tresser les cheveux en de grandes nattes, dans lesquelles elle incorpora des perles de différentes couleurs et des plumes d'oiseaux. Autour du cou, Luc-John portait des colliers de perles, d'os et de griffes d'ours, et un pendentif en pierre taillée en forme de castor, un cadeau de son grand-père. À chacun de ses mouvements, le bruit des colliers s'entrechoquant chassait les mauvais esprits sur son passage. Avec Sakay à ses côtés dans d'aussi beaux habits, Luc-John ne put m'empêcher de hurler sa joie d'être un enfant de la rivière Grise, ce qui fit sourire ses parents de fierté. Sa mère ne chanta pas ce matin-là. Tout le temps des préparatifs, elle n'arrêtait pas de parler. Son père l'écoutait en hochant la tête et ajoutait ici et là des commentaires comiques pour les faire rire et les aider à oublier l'inévitable départ. Mais surtout, il voulait garder en mémoire leurs rires d'enfants, qui lui manqueraient tant pendant leurs longs mois d'absence. Pour sa part, Luc-John vivait un mélange de sentiments contradictoires : excité à l'idée de partir pour un long voyage, anxieux face à l'inconnu et inquiet de quitter sa famille, dont il ne s'était jamais séparé auparavant.

Son père le prit par les épaules et le regarda intensément dans les yeux en lui demandant de prendre soin de son jeune frère pendant le voyage et au pensionnat. Ce que Luc-John promit. Le paternel se tourna ensuite et dit gravement à Sakay :

– N'oubliez surtout pas qui vous êtes. Soyez toujours fiers d'être les enfants de la rivière Grise.

Le père Anselme arriva en charrette accompagné d'un jeune religieux, le frère Jean, que Luc-John ne connaissait pas. Les salutations furent brèves. Devant les Blancs ce matin-là, ses parents perdirent le don de la parole. Ils restèrent debout devant la tente, collés l'un à l'autre, le regard chargé d'émotion. Sa mère sembla la plus bouleversée. « C'est un crime de nous enlever Sakay... Il est si jeune... Il n'a même pas sept ans... », avait-elle dit la veille en pleurant, couchée près de son mari, alors qu'elle croyait les enfants endormis. Ses parents cherchaient sans doute un moyen de leur dire combien ils les aimaient, regrettaient de les voir partir et s'ennuieraient d'eux. Mais justement, ils étaient trop intimidés par la présence des Blancs pour exprimer leur détresse. De plus, le jeune religieux ne leur en donna pas vraiment l'occasion, trop pressé de faire monter les deux jeunes à l'arrière de la charrette et de s'en aller.

– Le train va partir, et l'on est déjà en retard, dit-il pour justifier son empressement.

Il fouetta les chevaux qui s'élancèrent brusquement, d'un trot rapide et soutenu. Sakay et Luc-John regardaient le chemin défiler derrière eux et leurs parents rapetisser au loin toujours figés devant la tente. Après un tournant, ils disparurent.

Une fois à la gare du village, ils attendirent une bonne heure avant l'arrivée d'*ickote otapan*, le train. En réalité, il n'y avait pas urgence. Le frère Jean leur fit signe de s'asseoir sur un banc. À ses gestes, il était clair qu'il ne fallait pas bouger, parler et encore moins s'amuser. Le père Anselme les quitta et ils restèrent là, avec le jeune religieux chargé de les amener au pensionnat. Le frère Jean prenait sa tâche très au sérieux et ne souriait pas. En fait, Luc-John ne le vit pas sourire une seule fois, de tout le temps qu'il passa au pensionnat. Le jeune religieux marchait toujours très droit, d'un pas militaire. D'un simple regard de ses yeux bleus et perçants d'oiseau de proie, à donner froid dans le dos, il avait le pouvoir de faire avouer les pires méfaits à des élèves innocents, ou d'assagir instantanément une classe dissipée. Il donnait l'impression d'être en colère tout le temps et de rechercher la moindre occasion de punir. Il se promenait avec son bréviaire, qu'il lisait religieusement. En plus de l'imprégner de la parole de compassion du Seigneur, son livre lui servait d'instrument pour inculquer aux élèves la connaissance et la discipline nécessaires pour réussir au niveau scolaire et pour atteindre le paradis à la fin de leurs jours. Il savait le manier avec dextérité. Il lui suffisait d'un petit coup sur le plat de la tête, lorsqu'un malheureux répondait mal à une question de connaissance, et d'un bon coup derrière la tête, pour les cas plus graves d'indiscipline.

À la gare ce matin-là, il n'était pas plus patient. Il resta planté devant les enfants, à lire son bréviaire. Lorsque Sakay demanda quelque chose à Luc-John, le frère Jean darda sur lui un regard assassin qui le fit taire aussitôt. Les enfants devaient découvrir plus tard que parler amérindien était strictement interdit et méritait un bon coup de bréviaire derrière la tête. À ce moment-là, ils ne comprirent pas son intervention. Jamais auparavant leurs parents ou toute autre personne du clan ne leur avaient interdit de faire quoi que ce soit. Ils le regardèrent, étonnés, prenant alors conscience que tout le monde à la gare les observait avec curiosité, certains même avec hostilité. Personne ne s'approcha ni ne s'assit près d'eux. Mal à l'aise et nerveux, Luc-John se mit à grignoter machinalement les noix et les petits fruits séchés qu'il avait dans un sac de daim accroché à sa taille. Le religieux l'apostropha de sa voix cassante :

– Arrête de manger. Si t'es malade dans le train, ça va mal aller. J'te l'garantis.

Luc-John comprit à peine l'intervention faite dans une langue de Blanc, mais le ton impérieux lui parut si insolent, qu'il voulut répliquer tout aussi bêtement. Avant qu'il puisse dire un mot, un long sifflement détourna son attention. Au tournant de la voie ferrée, il vit un mastodonte de fer et d'acier, crachant une épaisse fumée noire, s'avancer vers la gare à vive allure. Il eut un instant de panique, Sakay aussi. En voyant que les passagers s'avançaient calmement sur le quai d'embarquement, il se rassura un peu. Le frère Jean leur fit signe de le suivre, pendant que le train ralentissait dans un bruit infernal d'acier sur acier, de grincements et de claquements suivis de longs chuintements de compression d'air expulsé violemment, jusqu'à l'arrêt complet.

Un chemin de fer traversait le territoire du clan de Luc-John, et il avait déjà vu *ickote otapan*, le train, filer à vive allure au loin. C'était la première fois, par contre, qu'il était si près d'une locomotive chuintante d'émotion. Heureusement, le frère Jean ne se dirigea pas vers l'engin, car il ne l'aurait pas suivi. Alors que les gens montaient à bord des voitures pour passagers, le religieux les guida vers un wagon à bétail à la porte grande ouverte. Il leur fit signe de s'asseoir sagement et en silence sur le plancher du wagon recouvert de vieille paille, alors qu'il s'installait dans un coin, sur la seule chaise du wagon. Malgré tout l'espace autour d'eux pour courir et s'amuser, il leur était strictement interdit de bouger.

Tout le long du parcours, le train s'arrêta à plusieurs reprises, parfois en pleine forêt. Chaque fois, des enfants amérindiens montaient dans le wagon. La plupart avaient attendu l'arrivée du train avec leurs parents. Ils connaissaient la routine de la grande migration de septembre vers le pensionnat. Les seuls en vêtements traditionnels, Sakay et Luc-John étaient l'objet de regards moqueurs, surtout de la part des plus vieux. Parmi eux, Luc-John repéra Thomas, qu'il avait connu au grand rassemblement d'été. Seul, c'était un chic type, mais avec son groupe d'amis du pensionnat, Thomas devenait distant et carrément déplaisant, se moquant d'eux lui aussi. Luc-John s'approcha de lui malgré tout, pour savoir ce qui les attendait pendant le voyage et au pensionnat. Dès les premiers mots de Luc-John, Thomas blêmit et ouvrit grand les yeux. Il regarda rapidement le frère Jean pour s'assurer qu'il n'avait pas entendu parler amérindien, puis répondit rapidement quelque chose en français.

– Pourquoi tu me parles comme un Blanc ? lui demanda Luc-John, surpris.

Au lieu de répondre, l'autre s'éloigna précipitamment. Luc-John resta bouche bée. Puis, il reçut un terrible coup de missel derrière le crâne, qui déclencha le rire général des enfants autour de lui. Le frère Jean leur cria de se taire et ordonna à Luc-John de retourner à sa place. Pour le reste du parcours, il resta là, assis en silence, à se demander dans quelle galère il s'était embarqué. Le voyage en train dura une bonne partie de la journée. À la gare, un autobus les attendait. Postée près de l'entrée du véhicule, une religieuse cria :

– Les filles en avant et les garçons en arrière avec le frère Jean.

Luc-John suivit les autres, accompagné de Sakay. Il montait pour la première fois dans un véhicule automobile, mais, après son voyage en train, la nouveauté avait déjà perdu de son attrait. La route vers le pensionnat était à peine carrossable. Le chemin fut long et ardu. Une forêt dense les engloutit. Il n'y avait rien à voir, sauf des arbres et encore des arbres qui, par moments, semblaient vouloir envahir le chemin de terre étroit et sinueux. Ils étaient secoués dans tous les sens et de tous les côtés. À chaque nid de poule, l'autobus vieillot se plaignait en un long craquement, suivi de grandes vibrations, à croire qu'il rendait l'âme.

Pour passer le temps, les religieux leur firent chanter des chansons de marche et de feu de camp avec toutes sortes de combinaisons, en canon, les filles chantant les couplets et les garçons le refrain ou parfois en compétition. Du moment qu'une chanson finissait, c'était à savoir lequel des deux groupes entamerait la prochaine et imposerait son choix aux autres. De toute évidence, ce petit jeu n'était pas nouveau et tout le monde y participait de bon cœur. Sakay et Luc-John écoutèrent sans comprendre les paroles. Les chants ne firent qu'attrister Luc-John, qui s'ennuyait déjà de la voix mélodieuse de sa mère.

Puis, la fatigue gagna le groupe. Une forte pluie s'abattit sur l'autobus. Le reste du voyage se poursuivit dans une atmosphère lourde et sinistre. L'anxiété de Luc-John monta d'un cran, lorsque son voisin lui chuchota qu'il approchait du pensionnat. En quelques mots, il lui dépeignit la vie de tous les jours là-bas et Luc-John ne savait pas s'il devait le croire ou non, tellement tout ça lui semblait étrange. Puis, il comprit que, malgré toutes ses fanfaronnades, l'autre n'éprouvait aucun plaisir à retourner au pensionnat.

CHAPITRE 7

La vie au pensionnat

L'autobus franchit la grille et remonta lentement le chemin de terre bordé de rosiers sauvages. Comme le temps de la floraison était passé depuis longtemps, aucun délicat parfum, annonciateur d'un changement merveilleux, n'accueillit Luc-John à son arrivée.

La cour de récréation s'étendait au loin derrière l'impressionnant édifice de quatre étages en brique rouge de style victorien. En son centre, une tour carrée de cinq niveaux en saillie marquait l'entrée imposante en pierre grise avec porte en retrait. Tout était conçu pour intimider un jeune ayant vécu toute sa vie sous une tente. Des bâtiments de ferme se trouvaient tout près. Il y avait là tout pour assurer un bon enseignement agricole : un troupeau de vaches, une porcherie, quelques moutons, un poulailler, un vaste jardin potager, un immense champ de patates et des pâturages pour le foin. Tout portait à croire que Luc-John partirait de là bon fermier.

Quand le véhicule s'immobilisa, la sœur assise dans le premier banc se leva, mit ses poings sur ses hanches et aboya des instructions d'un ton cassant, les yeux durs. Elle parlait vite. Pour Luc-John, tout ça n'était que du charabia. Il consulta son voisin, qui ne répondit pas, trop occupé à prendre ses affaires. Alors, il fit comme tout le monde, imita leurs faits et gestes, en espérant ne pas trop se tromper.

Une fois dehors, garçons et filles se séparèrent en deux groupes. Sous la gouverne de la sœur, les filles entrèrent les premières dans le bâtiment, suivies des garçons avec le frère Jean. Les deux groupes ne devaient jamais être ensemble, sauf en classe et à la salle à manger. Et encore là, les filles s'assoyaient d'un côté et les garçons de l'autre. Tout contact, même du regard, était strictement interdit et passible d'une correction sévère. Soudain, BOING ! Un garçon reçut un bon coup de bréviaire.

– Qu'est-ce que je t'ai dit ? tonitrua le frère Jean. On ne parle pas aux filles ! C'est la dernière fois que je t'avertis.

– Ben ! C'est ma sœur, dit l'autre pour se justifier.

Un autre BOING ! retentit, encore plus sonore, parce que le petit insolent avait osé répliquer. Ici, il n'y avait plus de frères ni de sœurs, seulement des pécheurs et des pécheresses.

* *
*

Dans le grand hall, une mosaïque aux couleurs vives ornait le mur du fond. Elle montrait des personnages suivant deux sentiers parallèles. Comme de raison, la voie de droite, jalonnée de bonnes actions, menait au Paradis alors que celle de gauche, marquée par le péché, allait directement en Enfer. Luc-John fut troublé de constater que les damnés étaient tous vêtus en amérindien. Sans le savoir, en mettant ses beaux habits ce matin-là, il se destinait aux flammes éternelles. À la droite du grand hall se trouvait un parloir décoré à l'indienne, alors que le reste des pièces présentait un mobilier sobre et pratique.

Luc-John repéra Sakay qui n'en menait pas large. Il semblait terrifié. Se retrouver dans un aussi grand bâtiment, entouré de religieuses et de religieux tout en noir, avait de quoi ébranler la confiance des plus forts. Luc-John lui prit la main et, curieusement, tous deux se sentirent mieux. Ils n'étaient plus seuls. L'aîné se rappela les paroles de son père : *Prends bien soin de ton petit frère.* Rempli de cette mission, il reprit de l'assurance.

Le groupe se dirigea à la salle à manger. Luc-John n'avait jamais vu autant de jeunes en un seul endroit auparavant. Il rougit, terriblement embarrassé de se promener devant eux dans ses vêtements bons pour l'Enfer. Le frère Jean les répartit à quatorze par table et nomma, pour chacune, un responsable et un aide. Leurs tâches étaient d'apporter les plats de la cuisine, de servir et de desservir. Chacun des enfants assumait l'une de ces fonctions durant l'année. Sur la table, Luc-John remarqua deux paniers de pain et deux pichets de lait, mais il était interdit d'y toucher avant le bénédicité, récité haut et fort par tout le monde. Imitant son entourage, il joignit les mains, ferma les yeux, pencha la tête et remua les lèvres. Après la prière, le responsable de table les servit en silence, car il était interdit de parler pendant les repas. En fait, il fallait toujours garder le silence, sauf pendant les récréations et les activités sportives. Devant chaque convive, Luc-John vit aussi une fourchette, une cuillère et un gobelet. Près du verre, un pouding au caramel attira son attention.

– Yum, yum, dit l'un de ses voisins, en se pourléchant les babines et en faisant semblant de le prendre.

– Que je n'en voie pas un toucher à ça, avertit le frère Jean, d'un regard assassin. Pas touche, avant que tout le monde ait mangé ce qu'il y a dans son assiette.

La nourriture parut effrayante à Luc-John. Il était habitué à la banique, à la sagamité, au maïs, aux fruits et aux noix sauvages ainsi qu'aux viandes rôties de canard, d'oie, d'ours, d'orignal et de chevreuil ou au poisson séché et fumé. Ce menu agréable variait en fonction des saisons et des résultats de la cueillette, de la chasse et de la pêche. Mais là, il devrait s'habituer à un nouveau régime, avec des repas à heures fixes et un menu invariable et médiocre. Pour déjeuner, il y avait du gruau et des toasts ; pour dîner, des sandwichs et du lait ; et pour souper, un bouilli fade de pommes de terre, de carottes, de navets et de chou avec quelques morceaux de viande. Les vendredis maigres, religion oblige, le poisson remplaçait la viande.

L'émotion lui coupa l'appétit. Pourtant, il n'avait rien mangé depuis le petit déjeuner de sa mère, avant de partir. Le sandwich du midi, servi avant de monter dans l'autobus, lui répugna dès la première bouchée. Il le donna à un ami plus vorace. Au souper, il picorait dans son assiette lorsqu'il prit conscience que tout le monde autour de la table avait terminé et piaffait d'impatience. Chacun voulait qu'il finisse son assiettée au plus vite, afin d'avoir droit à l'irrésistible petit dessert au caramel. Comme il ne pouvait pas donner son assiette à un autre sans se faire remarquer par le frère Jean, il s'efforça de tout manger, malgré ses haut-le-cœur fréquents. Le dessert était tellement sucré qu'il fit une grimace qui amusa grandement ses voisins. Il n'avait jamais rien goûté de pareil. À la longue, il s'y habitua et le pouding au caramel devint un des rares bons souvenirs du pensionnat.

Après le dessert, toutes les tablées rendirent grâce à Dieu. Le directeur, le père Lacombe, un petit homme corpulent serré dans sa soutane, les cheveux grisonnants taillés en brosse, leur souhaita la bienvenue, présenta le corps enseignant et le reste du personnel. Puis, il leur transmit les dernières consignes, en formulant ses vœux pour une bonne année scolaire. Luc-John écouta à peine, trop accaparé par ses réflexions de la journée. Qu'avait-il fait pour en arriver là ?

« Jamais grand-père Niquay ne les aurait laissés me prendre », pensa-t-il, en regrettant le départ soudain de son aïeul pour l'au-delà. Alors qu'une vague d'émotion s'élevait en lui, il entendit le directeur finir son discours. Tout le monde se leva.

Luc-John suivit son groupe au troisième étage, vers le dortoir des garçons. Il fit la file devant une table où un gros garçon prenait les présences. Averti par un ancien, il s'était exercé à dire son nom à la française. Son tour venu, il répondit fièrement :

– Luc-John Niquay.

L'élève consulta longuement le registre. Il appela le frère Marc, qui surveillait les opérations.

L'air ennuyé et fatigué, le vieux religieux lui demanda son nom à nouveau.

– Luc-John ! Mais ce n'est pas un nom chrétien ça, réagit le frère Marc, d'un ton cinglant. C'est Jean-Luc qu'il faut dire. Quels parents donneraient un nom pareil à leur enfant ! C'est Jean-Luc. Ton vrai nom est Jean-Luc, t'as compris ? Puis, s'adressant au jeune garçon, il dit :

– Tu vois, son nom est là. L'autre le cocha et Luc-John se dirigea à la table suivante.

Ici, Luc-John n'existait plus. Il n'avait rien à dire, c'était sans appel. Lorsque Sakay passa à son tour, il devint Matthieu en l'honneur d'un des saints préférés du frère Marc. Un autre nom païen de réglé... Luc-John se demanda si sa grand-mère Niquay aurait apprécié le changement, son grand-père sûrement pas. À la table suivante, ils furent répartis selon leur âge : les sept à neuf ans d'un côté ; les dix à douze ans de l'autre ; et les plus grands, ceux de treize à seize ans, à part. Comme Luc-John avait dix ans et Sakay presque sept, il alla dans un groupe et son frère dans un autre.

Séparés, ils ne dormiraient pas dans le même dortoir, ne partageraient pas le même horaire pour les douches, ni la même table aux repas, ni les mêmes classes ou les aires de récréation. Il était strictement interdit aux plus vieux de parler aux plus jeunes et vice versa, que l'on soit frères ou non, c'était pareil. La règle s'appliquerait même si Sakay tombait gravement malade. On n'aviserait même pas Luc-John de son état de santé. Pour lui parler, il devait le faire en catimini et dans un coin isolé, à l'abri des mouchards. Les bons pères avaient établi cette règle, disaient-ils, pour éviter que les plus vieux abusent des plus jeunes. C'est vrai qu'il y avait eu des cas d'abus, mais pour Sakay et lui, cette politique fut un cauchemar. Luc-John eut beau demander encore et encore à changer de groupe, rien n'y fit. Il se sentait coupable de ne pouvoir honorer la promesse faite à son père de veiller sur son petit frère. C'était quand même étrange. Il vivrait pour les dix prochains mois dans le même bâtiment, à quelques pas de son frère et plus grand ami, sans jamais pouvoir lui dire bonjour.

Suivant la file, à la table suivante, Luc-John reçut un paquet contenant ses vêtements de pensionnaire ainsi que des articles de toilette. Le numéro 72 était écrit en gros sur la boîte ainsi que sur ses vêtements, son casier et ses articles scolaires. C'était son numéro d'identification personnel, il ne devait pas l'oublier, sinon... À partir de ce moment, tout ce qui lui fut remis portait ce numéro. Souvent, on l'appela 72 au lieu d'utiliser son nouveau nom chrétien, Jean-Luc.

Dans la salle à côté, une rangée de religieux les attendait avec des ciseaux et des tondeuses à cheveux. Comme un automate, Luc-John s'assit sagement. Ce n'est qu'en se levant qu'il remarqua ses belles tresses, décorées de perles et de plumes, jonchant le sol. Quel choc de les voir traîner là comme des déchets! Il voulut en prendre une en souvenir.

– Qu'est-ce que tu fais là ? tonna le frère Marc. Lâche-moi ça! C'est sale!

Luc-John sursauta, surpris par autant d'agressivité. Il avait toujours la tresse dans sa main. Le frère Marc la lui arracha et la jeta par terre.

– Sors d'ici! Va-t'en aux douches pis ça presse, ordonna-t-il sèchement.

Ébranlé, Luc-John eut envie de pleurer. Verser des larmes, après avoir vécu cette journée de violence, lui aurait fait du bien. Il se retint pourtant, craignant trop d'être l'objet de moqueries de la part des autres, qui avaient le don d'être cruels au moindre signe de faiblesse. En sortant des douches, sur commande, il se pencha pour l'inspection du postérieur. Les cas de maladies étaient envoyés à l'infirmerie. Prochaine étape : la chasse aux poux. On lui enduisit le cuir chevelu d'un produit à forte odeur d'insecticide, puis on lui enroula un tissu blanc autour de la tête. Comme tout le monde avait le fou rire en se voyant en pyjamas, un turban sur le crâne, il s'esclaffa aussi. Quel soulagement! C'était bizarre de se voir tous pareils, même coupe de cheveux obligatoire que personne ne voulait et même vêtement terne, ennuyant.

Dans le corridor menant au dortoir, chacun avait un casier pour ses affaires. Luc-John voulut y déposer ses vêtements traditionnels et ses beaux mocassins.

– Laisse-moi tout ça, lui dit le garçon surveillant d'étage, je vais les entreposer au sous-sol. T'en n'auras pas besoin le temps que tu seras ici. Tu pourras les reprendre à la fin de l'année.

Le cœur gros, Luc-John le vit s'éloigner avec les derniers vestiges de son ancienne vie qui, encore ce matin-là, avait été celle de tous les jours.

À l'entrée du dortoir, le frère Marc les attendait, accompagné d'un jeune garçon. À chacun, il posa la même question avant de leur assigner un lit. Un voisin expliqua à Luc-John qu'il voulait savoir s'il urinait. Drôle de question. On fait tous pipi. Sans hésiter, Luc-John répondit un oui retentissant, d'un air un peu moqueur. Le jeune garçon l'amena alors à un lit plein de bosses et de creux, loin d'être aussi beau que les autres.

– Mais, pourquoi me donnes-tu celui-ci ? demanda Luc-John, se sentant victime d'une injustice. Pourquoi pas celui-là ou l'autre à côté ? Ils sont bien mieux.

– Parce que c'est comme ça quand on fait pipi au lit, répondit l'autre en français avant de le planter là.

Devinant la nature de sa réponse, Luc-John s'exclama, catastrophé :

– Mais je ne fais pas pipi au lit !

Heureusement, ce n'était pas le lit de la mort. Il devait découvrir que le lit du fond de la pièce, près de la fenêtre et du calorifère, était maudit. Tous ceux qui y avaient dormi étaient tombés gravement malades. Le pauvre type à qui on l'avait assigné blêmit, l'air tourmenté par la crainte de l'inévitable.

Au commandement du frère Marc, tout le monde se mit à genoux près de son lit, les mains jointes pour la prière du soir. Avant de se retirer, il leur rappela l'interdiction de se lever la nuit, même pour aller aux toilettes, leur souhaita bonne nuit, puis éteignit les lumières.

– Bonne nuit, frère Marc, crièrent-ils en chœur.

Dans le noir, des chants grégoriens envahirent la pièce. Tous les soirs, le frère mettait en marche son vieux phonographe. « Rien de mieux que de la musique sainte pour les calmer et les aider à dormir », semblait penser le vieux frère. Ce premier soir, Luc-John remarqua que la musique était entrecoupée de sanglots provenant d'un peu partout dans le dortoir.

Le lendemain matin, il fut réveillé par un vacarme effroyable. Brutalement tiré de son lit, son voisin se cogna la tête sur le plancher. Le malheureux avait eu une incontinence nocturne. Le frère Marc l'agrippa par la peau du cou et lui enfonça le visage dans les draps mouillés d'urine. Comme ça, il apprendrait à ne pas recommencer. Mais il ne comprenait pas vite et recommença le soir même. Le pauvre finit par hériter du lit tout bossé.

* *
*

Le jour, l'horaire chargé laissait peu de temps pour s'ennuyer. Les pensionnaires se levaient à six heures, prenaient leur douche et faisaient leur lit de manière impeccable, sinon c'était à recommencer. Ceux qui finissaient plus tôt devaient aider les autres. Au déjeuner, ils s'empressaient de tout manger pour sortir jouer dehors avant les classes qui débutaient à neuf heures par l'*Ô Canada* entonné bien fort. Ils avaient droit à une récréation le matin et à une autre l'après-midi. Au dîner, les plus pressés piaffaient d'impatience en attendant que les autres aient fini de manger pour retrouver leur liberté dans la cour de récréation. Les classes reprenaient de une à quatre heures de l'après-midi, la période la plus ennuyeuse de la journée. Chacun rêvassait la plupart du temps et avait hâte d'échapper aux quatre murs de sa prison. Après le souper, les pensionnaires avaient le droit de sortir une heure ou deux avant de monter au dortoir en rang faire leur toilette, réciter la prière, et se coucher à huit heures. Ils devaient prier plusieurs fois par jour : le matin en se levant, avant et après chaque repas et le soir avant de se coucher.

Une fois les lumières éteintes, seul dans son lit, Luc-John souffrait comme les autres du mal du pays. Il s'ennuyait de sa mère qui avait le don de chasser petits et grands soucis en chantant doucement. Les histoires de chasse de son père lui manquaient tout autant. Il aurait donc aimé pouvoir courir tel un défoncé dans la forêt, comme avant, Sakay à ses côtés. En même temps, il ne pouvait pas s'empêcher d'en vouloir amèrement à ses parents de les avoir abandonnés.

Le vendredi après-midi, son groupe se dirigea à la chapelle pour la confession. Un habitué lui expliqua qu'il fallait dire au prêtre ce qu'il avait fait de mal durant la semaine.

– Ce que j'ai fait de mal ? Mais... rien !

– Ç'a peu d'importance, dis n'importe quoi, dis que t'as volé quelque chose.

– Oui, mais quoi ? Qu'est-ce que je voudrais voler ? Rien !

– Eh ben, invente quelque chose, répondit l'autre, frustré d'avoir affaire à un simplet du fond des bois.

Avec le temps, Luc-John comprit le système et s'inventa une vie de grand pécheur.

Le vendredi était aussi la journée de la composition. Ils devaient écrire une lettre à leurs parents dans laquelle ils disaient combien ils s'amusaient et étaient heureux au pensionnat. L'enseignante écrivait le texte au tableau, qu'ils transcrivaient sans fautes et sans taches sur une feuille de papier. Pour Luc-John, c'était un exercice futile. Ses parents ne savaient pas lire et sans adresse fixe, ils ne recevraient aucune de ses lettres. Pour ceux qui avaient perdu leurs parents, l'exercice était tout simplement cruel.

Le dimanche, grand jour du repos où s'amuser était péché, tout le monde s'habillait en habit et cravate pour la messe. À l'exception des rares visites de parents pour les chanceux, il n'y avait pas grand-chose à faire. L'ennui régnait en maître et devenait carrément mortel un jour de pluie. La seule chose de bon cette journée-là était la crème glacée à la vanille servie au souper.

* *
*

Luc-John connaissait à peine la langue des Blancs. Au début, les frères le soupçonnèrent de mauvaise foi parce qu'il ne répondait même pas aux questions simples, souvent répétées. S'il osait le faire dans sa langue, ils sévissaient : un coup de baguette par-ci, une retenue par-là, ou une corvée de plus. Ils ne tarissaient pas d'imagination pour lui faire comprendre que le baragouinage de ses ancêtres était strictement interdit et que sa langue bâtarde ne lui servirait à rien dans sa future vie de Blanc. « Pourquoi je voudrais vivre comme un Blanc ? » pensa Luc-John, irrité par une telle idiotie. Si l'enfer du pensionnat représentait l'idéal de la société blanche, il préférait de beaucoup garder sa langue et vivre en sauvage dans la forêt, comme son grand-père. Au début, son ignorance lui attira les farces plates des copains.

Le samedi était jour de grand ménage. Les pensionnaires devaient nettoyer les planchers, les dortoirs, les corridors, les toilettes, tout. Pour polir les planchers, Luc-John mettait de gros bas de laine et patinait. C'était la partie amusante de la journée. Une fois, alors qu'il était affecté à l'équipe d'entretien du grand couloir, Clément, le plus vieux, remarqua :

– Maudite marde, on a oublié la brosse. Marcel, va donc en demander une au frère Martin.

– Pourquoi moi ? s'écria Marcel, visiblement agacé. J'pense que le nouveau devrait y aller.

– Ben voyons, y sait à peine dire deux mots en français, répondit l'autre en levant les yeux dans les airs.

– Ben quoi ? On a rien qu'à lui faire répéter ce qu'il a à dire, insista Marcel.

Se tournant vers Luc-John, il lui demanda en amérindien s'il était prêt à faire ça.

– Euh ! Oui, pourquoi pas, répondit Luc-John, cherchant désespérément à plaire et à se faire des amis.

– Bon tu vois, il va le faire, dit Marcel avec satisfaction.

Clément secoua la tête. « C'est bien comme lui de faire autant de chichis pour rien », se dit-il. Sans plus attendre, Marcel commença à faire répéter à Luc-John : « Frère Martin, est-ce que je peux avoir une brosse pour le plancher, s'il vous plaît ? »

Malgré toute sa bonne volonté, le pauvre eut du mal à prononcer et à mémoriser la phrase, surtout la section « est-ce que je peux avoir ». Clément s'impatienta :

– Tu vois ben que ça ne marche pas. On aurait déjà fini si t'étais allé chercher la brosse, au lieu de faire toutes ces niaiseries. Je t'avertis, on est mieux de finir à temps, c'est tout ce que j'ai à dire. Je ne veux pas passer la journée de dimanche au dortoir à cause de toi.

– Laissez-moi essayer, dit Williams, le quatrième membre de l'équipe. La phrase est bien trop compliquée pour lui. Qu'il dise plutôt : « Eille gros tas, ça prend une *maudite* brosse pour le plancher ! »

Les autres pouffèrent de rire.

– Tu ne peux pas lui demander de dire ça. Il va se faire tuer ! objecta Clément, estomaqué, mais sans vraiment s'opposer au plan mesquin de Williams.

Incapable de faire la différence et de plus en plus soucieux de plaire, Luc-John s'appliqua à répéter la nouvelle phrase à la perfection. Lorsque tout le monde sembla satisfait de sa prononciation, Luc-John partit remplir sa mission, sans soupçonner l'effroyable tempête qu'il risquait de déclencher. Le frère Martin, joufflu et bedonnant, était un pétard à la mèche courte et pouvait être particulièrement malin dans ses châtiments. Une fois arrivé devant lui, Luc-John ne se souvenait plus de la phrase si péniblement apprise, alors il balbutia nerveusement :

– Besoin brosse.

Le frère Martin le regarda les yeux ronds, l'air menaçant.

– Est-ce que je peux avoir une brosse, S'IL VOUS PLAÎT, scanda-t-il, exaspéré. Combien de fois faut-il vous le dire ! Ça n'coûte pas cher pourtant d'être poli. Enweille répète : « Est-ce que je peux avoir une brosse, S'IL VOUS PLAÎT. »

Décidément, c'était sa journée pour mémoriser les phrases-clés de la langue française. Luc-John répéta de son mieux et reçut en retour la fameuse brosse, qu'il s'empressa de remettre aux amis. Ils eurent l'air surpris de le voir revenir en un seul morceau, Williams encore plus que les autres. Il s'enquit, incrédule :

– As-tu vraiment dit au frère Martin « gros tas », puis que tu voulais une « maudite » brosse ?

Luc-John fit oui de la tête, trop honteux pour avouer qu'il avait figé devant l'austère frère Martin. En entendant l'autre dire « gros tas », il se souvint de la phrase au complet et, spontanément, répéta :

– Eille gros tas, ça prend une *maudite* brosse pour le plancher ! ce qui acheva de convaincre les trois amis, qui se regardèrent, ébahis.

– J'en reviens pas, balbutia Clément.

– Pas croyable, renchérit Marcel.

Seul Williams resta silencieux, songeur. L'équipe se mit à frotter, à laver, à cirer et à astiquer le plancher pour qu'il reluise de mille éclats. Juste à ce moment-là, le frère Martin monta à l'étage et siffla d'admiration devant leur travail.

– Comment t'aimes ça, gros tas ? On a fait une *maudite* belle job ! cria Williams, enthousiasmé, le sourire fendu jusqu'aux oreilles, sans doute convaincu que le frère Martin laisserait passer à nouveau.

Catastrophe ! Le frère Martin perdit instantanément son état de grâce et éclata. Le polisson de Williams mérita une avalanche de coups et trois dimanches de réclusion au dortoir tandis que, pour avoir ri, les autres écopèrent de travaux ménagers additionnels les samedis. Grâce à son défaut de mémoire, Luc-John l'avait échappé belle.

CHAPITRE 8

La rencontre de Castor

À dix ans, Luc-John n'avait jamais fréquenté l'école, ce qui ne l'avait pas empêché de devenir un bon Amérindien. Ses expériences de survie en forêt avaient remplacé les leçons. En effet, revenir bredouille de la chasse ou de la pêche suscitait des tas de questions. Avait-il fait trop de bruit ? Sa flèche avait-elle volé droit ? Il avait intérêt à reconnaître ses erreurs et à les corriger. Plus important encore, il gagnait à imiter le comportement des grands chasseurs et des pêcheurs de son clan. Les Blancs ne comprirent jamais que la faim était un professeur plus implacable que l'enseignant à la baguette. L'éducation à coups de martinet fut donc un choc brutal.

En raison de son retard scolaire, Luc-John se retrouva dans la classe des moins avancés, avec les grands bêtas. Il en fut profondément blessé et s'appliqua pour rattraper les autres de son âge. Il apprit le français en quelques mois, car il vivait en complète immersion et se sentait terrifié de parler sa langue. Cependant, il supporta mal d'être enfermé, à écouter pendant des heures un enseignant à la voix monotone, sans dire un mot ni bouger à moins d'une autorisation. Malgré tous ses efforts pour être un bon garçon, il acquit vite une réputation de tête dure et les punitions s'enchaînèrent. Ça ne prenait pas grand-chose pour être puni, le moindre écart, et VLAN ! Souvent, il ne savait même pas pourquoi il était corrigé.

Habitué au grand air, Luc-John trouvait pénible de vivre à trente enfants par classe, dans des locaux exigus et mal aérés. Il ne fut pas le seul à en souffrir. Les élèves autour de lui tombaient comme des mouches. La grippe, les oreillons, ou pire, la tuberculose, se propageaient à la vitesse de l'éclair. Au pensionnat, il n'arrêtait pas d'être malade. Il s'ennuyait des remèdes et, surtout, des petits soins de sa mère.

Après quelques mois, la routine et le temps aidant, le mal du pays s'estompa un peu. Luc-John retrouva un semblant de normalité. Comme tous ses camarades, il avait hâte au dimanche, jour de visite des parents. À la fin de la journée, comme la plupart d'entre eux, il était déçu que personne ne soit venu le voir. Après un bout de temps, il en voulut tellement à ses parents, qu'il se mit à les haïr. Il ne pouvait savoir que la procédure de visites était compliquée à dessein. D'abord, les parents devaient écrire au ministère des Affaires indiennes pour avoir une autorisation, ensuite ils devaient payer leur aller-retour en train jusqu'à la ville, et de là, trouver un moyen de transport ou marcher jusqu'au pensionnat, à des kilomètres. Son père et sa mère ne pouvaient pas se permettre ça. Toutes les barrières possibles étaient dressées pour rendre leur visite impossible.

Néanmoins, certains parents réussissaient le tour de force. Un dimanche matin, Francis, un de ses voisins de lit, fou de joie, apprit que ses parents viendraient en après-midi. Il ne portait plus à terre. Luc-John en était jaloux. À l'heure prévue, le jeune se présenta au parloir des Indiens où il passa un agréable après-midi avec ses parents. Il fut tellement enchanté de recevoir une paire de mocassins joliment décorés qu'il les porta sur-le-champ. À l'heure du départ, il les accompagna à la voiture conduite par un ami. Les adieux se passèrent merveilleusement, jusqu'à ce que l'auto démarre. La crise! Francis cria à tue-tête :

– M'man, P'pa, partez pas... Amenez-moi! Ne me laissez pas ici! Amenez-moi!

Il courut de toutes ses forces derrière le véhicule, en hurlant et en gesticulant comme un dément jusqu'à la grille d'entrée, où il s'effondra en pleurs en regardant l'auto filer au loin. Sa mère le regardait par la fenêtre arrière, complètement désemparée, en larmes. Son père, ému à ses côtés, la serrait dans ses bras pour la consoler. Francis resta là un bon moment, en maugréant et en maudissant ses parents de l'avoir abandonné une autre fois. En entrant au pensionnat, il dut remettre ses mocassins au frère Marc.

– Tu connais le règlement, aucun vêtement de sauvage ici.

Toujours bouleversé et furieux, Francis fit voler ses mocassins à travers la pièce, à grands coups de pied. Rouge de colère, le frère Marc l'envoya passer le reste de la journée au dortoir, le privant de souper. Pendant les jours suivants, Francis ne fut plus le même. Léthargique, comme en transe, il dormait mal, se levait difficilement, n'écoutait plus, étudiait encore moins, et restait complètement indifférent aux menaces et aux punitions qui pleuvaient sur lui. Les religieux crurent qu'une double ration de discipline règlerait son problème, comme dans tous les autres cas. La semaine suivante, sous le choc, Luc-John apprit que Francis s'était noyé dans le lac de la Marmotte. Un accident, semblait-il. En regardant les feuilles multicolores charriées par le vent froid de l'automne, Luc-John douta qu'il se fût baigné par plaisir. La rumeur se répandit qu'on avait retrouvé dans les poches du manteau de Francis les mocassins reçus en cadeau. Comment avait-il fait ? Tout le monde savait que du moment qu'un article était entreposé, il disparaissait pour de bon.

Chaque année, il y avait des tentatives de fuite. Comme le pensionnat était loin de tout et à des centaines de kilomètres de leur milieu naturel, les fuyards ne savaient pas le chemin pour retourner à la maison. Ils erraient quelques jours dans la forêt, harcelés par le froid et la faim, avant d'être rattrapés. À leur retour, tout le monde était appelé dans la grande salle. Les coupables y attendaient, debout au milieu de l'estrade, la tête baissée, repentis. Ils se tenaient piteusement : le visage sale, les cheveux en broussailles, les vêtements déchirés et dépareillés, souvent un soulier en moins ou les pieds nus. Le but était de les montrer dans l'état où on les avait trouvés, pour enlever aux autres toute envie de faire pareil.

Pour bien finir de convaincre et les coupables et les témoins de la scène, le père directeur Lacombe fouettait l'air de son martinet pour se réchauffer. Les fautifs, à tour de rôle, devaient tenir le bras bien droit devant eux, déployer la main, la paume vers le haut, ne pas bouger, encore moins retirer leur main au moment du coup, sinon la peine était doublée. Chaque main avait droit à la même ration. Chaque coup pétait comme une détonation d'arme à feu dans la salle. Il y avait parfois des rires nerveux. La tension était palpable. Les punis se voulaient stoïques et même indifférents au mal qu'ils enduraient, mais c'était peine perdue. M. le directeur savait mettre tout son poids derrière chaque coup. Son but était d'arracher quelques larmes aux châtiés, et il réussissait chaque fois. Malgré toute cette mise en scène, quelques audacieux demeuraient prêts à subir cette humiliation publique pour profiter de quelques heures de liberté loin du carcan du pensionnat. Quelquefois, l'aventure se révélait mortelle. On avait conté à Luc-John le décès d'un jeune fuyard retrouvé dans la neige. La description était tellement parlante qu'il eut l'impression d'en avoir été témoin :

> *Les traces dans la neige menaient à un buisson où le jeune garçon s'était effondré avant de ramper quelques mètres au pied des saules. Là, il avait gratté la neige avant de se reposer dans le creux, face contre terre, les bras sous la poitrine, les mains jointes sous le menton. Il gela dans cette position. Ça prit trois jours pour le dégeler avant l'autopsie. Il portait une paire de salopettes bleues, un chandail noir et rouge, des sous-vêtements longs, des bas de laine gris et des bottes en caoutchouc. Il n'avait pas de manteau. Les bottes semblaient trop grandes pour lui, car la neige s'y était entassée, lui glaçant les pieds.*

Cette mort horrible hantait Luc-John, chaque fois qu'on lui parlait de fuir. Pourtant, séparé de Sakay et sans amis, il dépérissait et devenait de plus en plus déprimé.

Il en était rendu là lorsque Castor s'intéressa à lui. Il n'aurait pas survécu une journée de plus sans son aide. Homère Dupuis était son vrai nom. Tout le monde le surnommait Castor, non pas en raison de ses dents avancées – comme vous pourriez le penser –, mais parce qu'il était originaire du lac aux Castors. Cet endroit n'avait rien de remarquable, sauf qu'à écouter Homère, rien n'était plus beau ni plus merveilleux. Sur ses rives, les gens vivaient plus vieux et plus heureux qu'ailleurs dans le monde. La chasse y était exceptionnelle, la pêche rapportait des prises de taille spectaculaire, les castors étaient gros comme des ours, à ce qu'il essayait de faire croire.

Ce lieu mythique n'existait pas. Il l'inventa pour se moquer de tous ceux qui lui demandaient d'où il venait. De quelle tribu? Il ne le savait pas. Castor fut amené au pensionnat alors qu'il n'avait même pas cinq ans et n'en repartit jamais, enfin, pas tout à fait. Ses souvenirs étaient vagues. Il croyait se rappeler qu'il jouait près de sa mère qui préparait le repas, lorsqu'une auto s'arrêta devant chez lui. Un homme cogna à la porte. Il voulait amener Castor au pensionnat, mais sa mère le combattit comme une lionne. Elle le chassa à grands coups de poêlon en fonte. L'homme s'enfuit pour revenir quelques heures plus tard accompagné d'un gendarme. Pendant que le policier tentait de calmer la mère, l'agent du ministère prit Castor et le plaça sur la banquette arrière du véhicule, dont il verrouilla la porte. Dès que l'homme partit retrouver le policier, Castor grimpa pour passer sur le siège avant et sortit par la porte du chauffeur, déverrouillée. Il courut de toutes ses forces, en zigzagant, pour fuir le gros monsieur du ministère essoufflé à ses trousses. Puis il y eut un PAN ! Un coup de feu ? Le policier sortit quelques instants plus tard de la cabane, l'air contrarié. Il aida l'agent à rattraper Castor, qu'ils placèrent entre eux sur la banquette, avant de repartir à toute vitesse pour la ville. Castor espéra follement voir sa mère arriver en courant pour le sauver. Elle ne vint pas. Il ne la revit jamais et ne retourna jamais à la maison.

Malgré tout, Castor s'adapta vite à son nouveau milieu. Ce petit garçon charmeur, au sourire désarmant, conquit rapidement l'affection des bons pères. Il avait l'esprit vif et un sens amusant de la répartie. Les choses se mirent à aller encore mieux pour lui lorsqu'il exprima son désir de porter la soutane un jour. Le père directeur le prit sous son aile, le traitant en quelque sorte comme son fils adoptif. Il aimait la candeur rafraîchissante de son jeune protégé, qui ne se gênait pas pour commenter certaines pratiques un peu rebutantes du pensionnat. Ses remarques incitèrent parfois le père Lacombe à entreprendre des réformes, car sous des dehors revêches, il était vraiment soucieux de rendre le pensionnat plus agréable.

On aurait pensé qu'étant le petit chouchou du père Lacombe, Castor aurait été ostracisé par les pensionnaires qui, eux, recevaient rarement affection et considération de la part des bons pères. Mais non. Castor savait charmer tout le monde. On s'empressait de devenir son ami. Et les amis de Castor étaient les amis de tout le monde. Même les bons pères étaient plus indulgents envers l'entourage du futur prêtre.

Castor réussissait toujours à sortir, comme par magie, une boîte de biscuits ou quelque bonne chose de la cuisine, pour partager avec les autres. Comme il vivait au pensionnat à longueur d'année, il connaissait les moindres recoins et toutes les cachettes du pensionnat, des installations agricoles et du vaste domaine. L'été, alors que les autres enfants retournaient à la maison, il partait en vacances pendant des semaines en canot-camping avec les bons pères, le long de la rivière Blanche, ce qui lui permit de repérer les meilleurs endroits pour la pêche, les talles de petits fruits et les ravages d'orignaux et de chevreuils. Il devint une source importante d'information pour tous ceux qui ambitionnaient de s'enfuir un jour.

Comme il avait l'oreille du directeur, Castor osait transmettre les doléances de tout élève qui se sentait persécuté ou l'objet d'une affection trop insistante de la part d'un membre du personnel. Parler à Castor était le meilleur moyen de tempérer les abus. Il ne demandait jamais rien pour ses services. Par contre, rien ne lui était refusé non plus.

Malgré son intégration apparente au joyeux monde des Blancs, Castor était secrètement passionné par son héritage autochtone, qu'il connaissait à peine. Il voulait tout savoir sur le mode de vie de ses ancêtres. Tout comme lui, les pensionnaires avaient été déracinés dès leur jeune âge. Certains ne savaient même plus parler leur langue. Aucun ne connaissait les chants, les traditions, les plantes médicinales et les rituels de transmission de la connaissance. Aucun n'avait pu l'aider dans sa quête, jusqu'à ce que Luc-John arrive. Le petit nouveau de la rivière Grise fut donc admis dans son cercle et bénéficia de tous les privilèges qui s'ensuivaient. Castor voulait tout savoir sur la cueillette, la pêche, le piégeage et la chasse. Luc-John n'arrivait pas à assouvir sa soif de connaissance. L'hiver, ils eurent même la permission de poser des collets à lièvre dans les bois environnants. En l'accompagnant tôt le matin pour en faire le tour, Luc-John se sentit libre pour la première fois depuis son arrivée au pensionnat. La joie que Castor éprouva en capturant son premier lièvre fut contagieuse. Il courut l'apporter à Marie, la cuisinière attikamek, qui lui avait promis de préparer cette délicieuse nourriture en suivant une recette traditionnelle. Luc-John adora goûter à nouveau un plat comme il les aimait. Et c'est ainsi qu'il put tenir jusqu'à la fin de l'année scolaire.

À l'approche du dernier jour d'école et du retour à la maison, les religieux et les religieuses devenaient tout à coup plus aimables. Ils n'arrêtaient pas de répéter aux élèves que tout ce qui se passait au pensionnat devait y rester. Tout est beau et bon au pensionnat, et bonnes vacances ! Tel était le message à retenir. Luc-John eut de la peine en quittant Castor, mais il avait encore plus hâte de se retrouver parmi les siens. Pour son retour, il voulut porter ses beaux habits traditionnels et surtout les mocassins de sa grand-mère, mais on lui dit les avoir égarés.

– On va les retrouver. Tu les auras à ton retour.

– Oublie ça, lui dit Castor, révolté. Tous les vêtements amérindiens mis en entrepôt sont brûlés. Ils ne veulent pas que tu t'habilles en sauvage pour ton retour à la maison. Ce serait admettre qu'ils n'ont pas réussi à te civiliser.

– Ça fait rien, répondit Luc-John, avec un pincement au cœur, mais pas surpris de la mesquinerie des Blancs.

Ce malheur ne put estomper la joie qu'il éprouvait de partir. Enfin, il retrouverait Sakay, qui lui avait terriblement manqué pendant tous ces longs mois.

CHAPITRE 9

Cet été de malheur

Enfin, le grand jour du départ arriva. Luc-John fut déçu de ne pas être assis à côté de Sakay dans l'autobus. Lorsqu'il prit place à ses côtés dans le wagon à bétail, il se sentit à des kilomètres de lui, tellement son jeune frère était distant. Sakay refusa de répondre lorsque Luc-John lui adressa la parole en amérindien. Il eut beau lui dire que le frère Jean était déjà en vacances et ne se souciait plus d'eux, l'autre ne changea pas d'attitude.

Leurs parents les attendaient sur le quai de la gare, accompagnés du père Anselme. À la façon dont ils dévisageaient les passagers, on voyait bien qu'ils avaient hâte de retrouver leurs garçons. Ils eurent du mal à les reconnaître dans leurs vêtements de Blancs, chaussés de bottines, les cheveux coupés courts et sans plumes d'ornement. Luc-John sentit une grande gêne s'élever entre eux et lui, comme un mur de glace infranchissable. Comment était-ce possible ? Dix mois plus tôt, ils formaient une belle famille unie qui partageait tout, les joies comme les peines. Aujourd'hui, ses parents ne savaient plus comment l'aborder, trop intimidés. La présence du père Anselme n'aidait pas. Luc-John aurait aimé qu'il les laisse seuls tous les quatre. Toutes les tentatives de conversation sombrèrent l'une après l'autre, irrémédiablement, dans un silence lourd, abrutissant. Sakay refusa de sourire et resta aussi froid et distant que dans le train. Il répondait à peine aux questions de sa mère et de son père, la plupart du temps en monosyllabes et en français. De toute évidence, il aurait aimé être ailleurs. Avait-il honte ? C'était loin des retrouvailles joyeuses que Luc-John s'était imaginées.

Ils s'entassèrent à l'arrière de la charrette du père Anselme, sauf Sakay, qui préféra s'asseoir en avant, à côté du religieux. Tous deux engagèrent une vive conversation, ce qui surprit Luc-John. Il n'avait pas vu son frère aussi animé depuis le départ. Alors que ses parents firent semblant de ne rien entendre, lui les écouta parler de tout et de rien, en français. Malgré tout, Luc-John se sentit heureux, entre son père et sa mère. Le religieux les quitta à l'entrée du monastère. En descendant de voiture, Luc-John espérait que la longue marche au camp d'hiver près de la chapelle serait l'occasion de renouer les liens brisés après ces longs mois de séparation. Le silence s'alourdit plutôt, chacun s'empêtrant dans ses petits malaises. Aucun incident ne se produisit en route pour briser la glace ou les faire rire comme auparavant.

Au camp, sa mère prépara un de leurs plats préférés. Sakay y toucha à peine. Son père, tout fier, en profita pour leur remettre des arcs et des flèches finement travaillés. Luc-John fut tellement ému qu'il manqua de mots pour le remercier. Fini les arcs et les flèches d'enfant, désormais, il en avait des vrais. Son père avait dû consacrer tout son temps libre à les fabriquer, pendant le long hiver, pour leur faire plaisir à leur retour. Tout excité, Luc-John sortit à la course les essayer. Sakay resta impassible, lui qui auparavant aurait sauté de joie devant un tel attirail.

Pour ne pas être en reste, sa mère leur remit des vêtements neufs, un bel habit de cérémonie et d'autres pour le quotidien. Sans tarder ni se faire prier, Luc-John se dépêcha d'enlever son accoutrement de Blanc. Sa mère les avait coupés un peu juste. Il avait tellement grandi depuis l'automne, mais ça ne faisait rien, il était heureux. Curieusement, en changeant de vêtements, il se sentit enfin libéré des chaînes du pensionnat. Apparemment, Sakay ne fut pas aussi pressé de mettre les siens. Pourtant, ils lui allèrent vraiment bien, quand il finit par les enfiler. Son manque d'enthousiasme et son air dégoûté offensèrent Luc-John, au point qu'il voulut crier : « Réveille-toi, idiot ! Tu n'es plus au pensionnat, mais entouré des gens qui t'aiment. »

Le premier soir, couché à même le sol, Luc-John ne put s'empêcher de penser combien c'était curieux d'être sous une tente, sans eau courante ni électricité. La cacophonie de la forêt, gracieuseté des cigales, des grillons et des grenouilles, remplaçait à merveille les chants grégoriens du père Marc. Enfin, il était de retour chez lui. Plus d'horaire rigide à respecter, dans un silence complet. Il retrouvait la liberté et le rythme de ses aïeux, tant aimés et appréciés auparavant, mais qui, après le pensionnat, lui parurent presque venir d'un autre âge.

Le lendemain, la famille emballa ses affaires pour la grande migration au camp d'été, sur les rives du lac Poisson Blanc. Là, Luc-John retrouva quelques amis du pensionnat, mais sans Castor, ce n'était pas la même chose. Sakay se tenait rarement avec lui. Luc-John constata avec regret que son frère ne s'intéressait plus aux parties de chasse et de pêche, activités tellement prisées auparavant. Chaque fois qu'il s'adressait à lui, Sakay répondait en français et non en amérindien. Pressé de parler dans leur langue maternelle, l'autre préférait se taire, à la grande irritation de Luc-John.

Dans leur clan aussi, les choses avaient changé. Les consignes de grand-père Niquay avaient disparu. C'est l'été où il vit son père s'enivrer pour la première fois. Et sa mère aussi... Quelle déception ! Une fois la boisson dans le corps, ils se chamaillaient jusqu'à s'effondrer, ivres morts. Luc-John ne savait pas quoi faire. Un autre pan de son monde s'écroulait brutalement. Il se sentit à nouveau seul, abandonné et rejeté comme au pensionnat. Il repensait souvent à son grand-père. Cet homme extraordinaire, dépositaire de la culture de ses ancêtres, ce conteur d'histoires et de légendes, n'aurait jamais permis qu'on les envoie au pensionnat. S'il était demeuré avec eux, rien n'aurait changé. Aujourd'hui, Sakay ne renierait pas son héritage, ses parents ne consommeraient pas d'alcool et tout le monde vivrait comme avant, dans un milieu familial chaleureux et serein.

Luc-John ne supporta plus de rester auprès de ses parents enivrés. Il se mit à passer ses journées à se promener seul en forêt, à réfléchir au sens de la vie, à se répéter qu'il n'était pas un bon à rien. Il maudissait les Blancs pour tous les malheurs qui lui arrivaient. Avec son arc bien tendu, il chassait le petit gibier et même le poisson. Puis un jour, il brisa son arc en l'échappant d'un arbre où il s'était perché. La larme à l'œil, avec beaucoup de réticence, il se résigna à approcher son père pour qu'il l'aide à le réparer. Il dut attendre patiemment que le chef de famille se réveille de sa dernière cuite. À peine debout, son père regarda brièvement son arc, conclut qu'il n'était pas réparable et se recoucha. Après quelques minutes, il ronflait profondément à nouveau. Luc-John en fut atterré. Déçu, il s'assit près du feu de camp, l'arc brisé sur les genoux. Il regarda les flammes danser en se demandant ce qu'il ferait maintenant. Il y avait toujours l'arc de Sakay qui ne servait pas, mais Luc-John hésitait à s'en emparer, espérant encore que son petit frère reprendrait goût au mode de vie ancestral. Il en était rendu là lorsque le paternel vint s'asseoir près de lui. Comme Luc-John, il contempla les flammes et dit tout haut, se parlant à lui-même :

– Mon arc m'a bien servi, mais il est vieux et n'a plus la rigidité et la flexibilité des premiers jours. Il serait temps pour moi d'en fabriquer un autre. Je connais une talle d'ifs dont le bois ferait l'affaire. Il y en aurait assez pour fabriquer plus d'un arc, si un autre brave avait besoin de s'en fabriquer un lui aussi.

C'était sa façon d'offrir son aide. Il apprendrait à Luc-John l'art de fabriquer un arc et pas n'importe lequel… Son arc à lui ! Avant de commencer, son père sentit le besoin de se purger de tout relent d'alcool pendant trois jours. Puis il demanda à Luc-John de chanter avec lui un refrain à Wacondah, le Grand Esprit, alors qu'il concoctait une tisane à base d'airelles et de plantes sauvages. Ce breuvage appelé tisane de discernement procurait le don de distinguer, parmi les troncs et les branches d'une colonie d'ifs, l'individu ayant les plus grandes vertus pour devenir un arc. Ils burent cette décoction au goût résineux prononcé. Puis, ils partirent dans la forêt à la recherche de colonies d'ifs. Pendant leur promenade, son père lui conta la légende de l'arc.

* *
*

C'était au début des temps. Armé seulement de sa lance et de son poignard en silex, Nehi-ya devait ramper tout près de sa proie pour l'abattre. Ce n'était pas facile. Le lièvre aux grandes oreilles l'entendait venir, le cerf aux pattes effilées fuyait à son approche, et les autres animaux disparaissaient au moindre faux pas. Nehi-ya revenait souvent bredouille de la chasse, si bien que sa femme et ses enfants pleuraient de faim. N'en pouvant plus, il remonta la vallée de la rivière perdue, source de toute vie, pour demander l'aide du Grand Esprit. « Wacondah, dit-il, tu as donné au loup l'endurance pour épuiser sa proie et des crocs pour l'abattre. En plus de la force, tu as donné à l'ours des crocs menaçants et de longues griffes. Mais à moi, rien pour chasser et nourrir ma famille. » « Je t'ai donné plus qu'à tous les autres, répondit Wacondah, étonné des doléances de son préféré. À toi j'ai accordé une grande intelligence, mais tu ne t'en sers pas. » « J'observe et je ruse, j'adapte mes techniques, mais les animaux en font autant. » Wacondah reconnut que Nehi-ya n'avait pas tort.

Il réfléchit un instant avant de demander aux créatures de la Terre si l'une d'elles viendrait à son secours. Les herbivores se turent, de peur que Nehi-ya ne devienne un meilleur chasseur. Les carnassiers ne répondirent pas non plus, redoutant un compétiteur trop habile. La plupart des plantes restèrent silencieuses, car le domaine animal n'était pas de leur ressort. Tout le monde fut surpris de voir l'if s'avancer. Nehi-ya allait protester, lorsque Wacondah dit : « If, es-tu bien certain de vouloir offrir ton aide ? Il n'est même pas de ton règne. » Une des plantes les plus toxiques de la planète, l'if voulait se faire aimer et répondit en tendant une de ses branches. Wacondah la prit comme s'il s'agissait de l'objet le plus précieux au monde et en fit un arc qu'il remit à Nehi-ya en disant : « L'if pousse très lentement, ses anneaux de croissance sont rapprochés, donnant à ses branches flexibilité et résistance. Tu pourras propulser un projectile avec assez de force pour atteindre ta proie à une bonne distance. » Nehi-ya resta perplexe. Il ne savait pas comment se servir de cette arme. « Ah oui ! Il te manque quelque chose », reprit Wacondah, moqueur. Soucieux de plaire autant que l'if, le cèdre offrit une de ses branches, que le Grand Esprit transforma en flèches. « Essaie avec ça », proposa Wacondah, en lui remettant l'arc cette fois-ci tendu d'une corde magique. Nehi-ya banda son arme et la flèche fendit l'air à la vitesse de l'éclair. On dit qu'elle frappa la lune qui en resta écorchée. Wacondah dit à l'if et au cèdre : « Je vous suis reconnaissant. Toi, l'if, je t'accorde de vivre pendant des siècles, voire des millénaires. Toi, le cèdre, ton bois sera désormais parfumé pour résister à la pourriture, aux insectes et aux vers. Vous serez toujours là pour Nehi-ya, ses enfants et ses petits-enfants. » C'est ainsi que Wacondah remit à l'homme de quoi égaler les plus grands prédateurs. Nehi-ya fut heureux de son arc, jusqu'au jour où la corde magique se brisa. Wacondah ne lui avait jamais révélé comment la fabriquer. Il n'osa pas se présenter devant lui à nouveau et s'efforça d'en fabriquer une avec des tendons de cervidés et même des fibres végétales. C'était le défi lancé par Wacondah à l'homme à la grande intelligence...

* *
*

Son père s'arrêta devant une immense colonie d'ifs.

– Ton grand-père m'a amené ici quand j'avais ton âge, pour choisir le bois de mon premier arc. Son père l'avait fait avec lui et le père de son père aussi, depuis des générations. Cette talle doit bien renfermer les enfants de l'arbre qui remit une branche à Nehi-ya.

Luc-John se sentit profondément honoré. Le Grand Esprit fut favorable à leur quête, puisqu'ils dénichèrent des bois de grosseur et de longueur idéales. Suivant les instructions de son père, Luc-John travailla la tige d'if pour lui donner la forme voulue. Il renforça les encoches, le dos ainsi que la poignée de l'arc avec des tendons d'orignal. Il fabriqua la corde à partir de nerfs provenant de pattes de wapiti. Après avoir bandé l'arc la première fois, il procéda à l'équilibrage de son œuvre, grattant la branche supérieure, puis la branche inférieure, à tour de rôle. Enfin, l'arc fut parfaitement équilibré. Il vibrait peu, offrait une bonne résistance, une belle allonge et une longue portée. Son père l'essaya et siffla d'admiration.

– Ton arc peut tirer aussi haut que le vol de l'aigle, dit-il en hochant la tête d'appréciation. Il mérite un nom qui lui confère ce pouvoir.

– Je l'appellerai *Aigle d'if.*

Luc-John s'enfonça aussitôt dans la forêt, à la recherche de gibier.

Sakay fut invité à participer à ce bel apprentissage, mais préféra bouder à longueur de journée. Pour son père, l'exercice fut salutaire, une vraie régénération. Il reprit goût à sa culture. Sa mère retrouva son chant mélodieux. Un matin, son père se rendit dans la forêt profonde pour trouver un nouvel emplacement pour le camp d'hiver, aussi loin que possible du monastère et des Blancs. Il revint plusieurs jours plus tard, heureux. Il avait repéré un endroit idéal et avait hâte de partir pour qu'ils s'adonnent à leur vie d'antan. À cette nouvelle, Sakay disparut. Luc-John eut beau le chercher à ses endroits favoris, personne ne l'avait vu. Pour son père, ce fut un choc. Son fragile équilibre s'effondra. En quelques jours, il renoua avec la bouteille et tout redevint misérable.

Un matin, Luc-John apprit qu'on avait aperçu Sakay au camp d'hiver, près de la chapelle. Sans hésiter, il se mit à sa recherche, convaincu que, s'il pouvait le ramener à la maison, son père cesserait de boire. Luc-John parcourut les environs sans trouver la moindre trace de son frère. Il se demandait à quel autre endroit chercher, puis il pensa au monastère. Toutefois, il redoutait que les frères le ramènent au pensionnat avant la fin des vacances, si jamais ils l'attrapaient à rôder sur leur terre. Il décida donc de ne chercher Sakay que la nuit tombée. Au coucher du soleil, il partit. Plus il s'approchait du monastère, plus le ciel se couvrait de nuages épais, si bien qu'il se retrouva dans la noirceur totale à errer à droite et à gauche, comme un aveugle. Après être tombé dans ce qui lui sembla un fossé, il poursuivit sa route jusqu'à ce qu'il bute contre un bâtiment de ferme. En suivant le mur, il atteignit une porte qu'il força pour s'abriter le reste de la nuit. Épuisé, il s'endormit profondément. Tôt le matin, il n'entendit pas le frère Samuel entrer, l'un de ceux qui les avaient surpris dans la chapelle, lors de l'hiver meurtrier. Il n'avait pas changé, toujours aussi malcommode et méfiant des Amérindiens. Il prit Luc-John par la peau du cou en criant à tue-tête :

– Enfin, je t'ai pogné, mon petit voleur !

Quelqu'un leur chipait des pots de miel la nuit. Pour le frère Samuel, c'était Luc-John. Sans le savoir, ce dernier avait pénétré dans l'annexe du monastère, qui servait de garde-manger pour le miel et des denrées sèches. Il eut beau se débattre, le frère Samuel ne le lâcha pas. Avant même de pouvoir clamer son innocence, il fut traîné devant le père Benoît, joufflu et bien rond, dans les cuisines. Pour le cuisinier, tout passait par la panse.

– Assis-toi. As-tu faim ?

Sans attendre la réponse, il mit devant Luc-John un verre de lait, un bol de gruau fumant et du pain. Le petit déjeuner typique du pensionnat ! « Ça y est, ils veulent me ramener », s'inquiéta le pauvre petit. Sa réaction de haut-le-cœur dut être évidente, car le père Benoît conclut qu'il interprétait mal ses bonnes intentions.

– Va chercher le père Anselme. Il connaît leur langue, ordonna-t-il au frère Samuel.

– Il est parti en ville pour quelques jours !

Le père Benoît réfléchit un instant avant d'ajouter :

– Demande au petit Matthieu s'il ne pourrait pas nous aider.

Le frère Samuel disparut et revint quelques instants plus tard, accompagné d'un jeune Amérindien vêtu de l'habit du pensionnat. C'était Sakay ! L'expression de son visage trahit sa surprise de voir Luc-John et sa désolation d'être découvert.

Lorsque les pères les laissèrent seuls un moment, Luc-John en profita pour le supplier de retourner au camp d'été. Sakay ne répondit pas et évita son regard. Il jouait à tordre, puis à détordre nerveusement une boucle de ses cheveux. Finalement, Luc-John insista et lui ordonna de prendre ses affaires et de le suivre. Sakay répondit « non » en amérindien. C'était la première fois qu'il parlait leur langue depuis leur retour. Luc-John se réjouit de le voir renouer avec leur culture, mais fut estomaqué par son refus.

– Pourquoi pas ?

– J'ai promis à Dom Clément, le père supérieur, que j'aiderais à faire les foins cette semaine. Je vous retrouverai après.

– Dom Clément comprendra, si tu veux revenir dans ta famille.

– Tous les moines ici ont été très gentils avec moi. Ils comptent sur moi pour les aider et je ne veux pas les décevoir. Ce n'est pas une semaine de plus ici qui va faire une différence.

Luc-John eut beau insister encore, la décision de son jeune frère était irrévocable. Complètement dépassé, accablé de tristesse, il s'en alla. Le Sakay d'avant le pensionnat avait cessé d'exister.

De retour au camp d'été, Luc-John fut déçu que son absence de plusieurs jours n'ait pas été remarquée. Son père et sa mère cuvaient leur boisson. Demeuré seul avec l'ombre de son grand-père, il se surprit à souhaiter que cet été de malheur finisse. Comme ça, il pourrait retrouver Castor, son seul vrai ami. Sakay revint au camp quelques jours seulement avant qu'on les renvoie au pensionnat. Leurs parents ne furent même pas conscients de leur départ.

CHAPITRE 10

Frères de sang

Son retour ne fut que brouillard. Il traversa la journée comme un automate, insensible à ce qui lui arrivait. Sakay s'était assis à ses côtés dans l'autobus en espérant un rapprochement, mais il ne lui accorda aucune attention. En fait, Luc-John était heureux à la perspective de ne plus revoir son frère pour les dix prochains mois.

Seul rayon de soleil : Castor lui sauta au cou à sa descente d'autobus. Son ami avait des tas de choses à lui conter de son été de découvertes et voulait en entendre tout autant de lui. Mais Luc-John se sentit mal à l'aise d'avouer son été de malheurs, l'alcoolisme de ses parents et le reniement de son frère. Il lui parla plutôt avec enthousiasme de la fabrication de son arc. Tout excité, Castor insista pour qu'ils commencent dès le lendemain à confectionner les leurs. Luc-John parut surpris. Il doutait que les frères les laissent faire quelque chose d'aussi *sauvage*. Pourtant, Castor n'y voyait pas de problème, car pour lui, rien n'était impossible. Il s'imaginait déjà, chassant le petit gibier, arc bandé à la main. Il était sûr de trouver une colonie d'ifs autour du pensionnat.

– On va en avoir besoin pour notre grand projet, révéla Castor, en petit cachottier.

– Ah oui ! Quel projet ?

– Tu le sauras quand tu deviendras mon frère de sang, répondit l'autre, encore plus énigmatique.

– Ton frère de sang ?

– Ben oui, tu verras, reprit Castor, heureux de l'avoir intrigué.

Le lendemain, avant le début des classes, Castor amena Luc-John au grenier de la grange. Là, il monta sur un vieux banc pour prendre un couteau de chasse caché dans l'encoignure de deux poutres de la toiture. Tout sourire, il exhiba une longue lame d'acier bien aiguisée, de quoi faire peur.

– Ayoye ! Où t'as pris ça ?

– Au sous-sol du pensionnat, parmi les articles saisis. Il y a là toutes sortes de belles choses... interdites, comme de raison.

Castor accompagna sa réponse d'un clin d'œil avant d'ajouter, plus sérieusement :

– C'est le temps que tu deviennes mon frère de sang.

Sans s'en rendre compte, Luc-John dut pâlir, car son ami lui demanda :

– T'as pas changé d'idée au moins ?

– Non, non, assura l'autre avec fermeté, cherchant à dissimuler son anxiété.

Dans son for intérieur, il doutait que Castor sache manier son gros poignard sans le blesser gravement. Avant de commencer, Castor contempla longuement la lame, de tous bords tous côtés, comme un expert cherchant un défaut. Habilement, il se tailla délicatement la chair à l'intérieur de l'avant-bras gauche, à mi-chemin entre le poignet et le coude. Un mince filet de sang s'écoula de la plaie, fit le tour de son bras pour descendre vers le coude, perlant en une goutte hésitante avant de tomber sur le sol. Il fallait une incision assez profonde pour en tirer du sang, mais à peine visible, de manière à ne pas attirer l'attention des bons pères au moment des douches, le matin. Heureux du résultat, il s'approcha de Luc-John.

– À ton tour maintenant.

Luc-John lui présenta nerveusement son avant-bras. Il eut une envie folle de le retirer en voyant approcher la lame, mais il tint bon. Par contre, il ne put s'empêcher de fermer les yeux au moment de l'entaille.

– Voilà, c'est fait ! dit l'autre avec fierté.

Luc-John n'avait rien senti. Il eut honte d'avoir fermé les yeux au moment critique, comme un gros bébé. Ou bien Castor n'avait rien remarqué de sa lâcheté, ou bien il avait tout vu et ne lui reprocha pas son moment de faiblesse, en vrai ami qu'il était.

– Maintenant, plaçons nos bras ensemble, plaie contre plaie, pour que nos sangs se mélangent.

Il demanda à Luc-John de répéter solennellement après lui :

En mélangeant mon sang au tien, je deviens ton frère pour la vie.

En mélangeant ton sang au mien, tu deviens mon frère pour la vie.

En mélangeant notre sang, nous devenons des frères de sang,

Prêts à donner nos vies, l'un pour l'autre et l'autre pour l'un.

Luc-John était ému. Il ne savait pas où Castor avait appris ce rituel. Ce n'était pas une pratique courante parmi les siens, mais ça le comblait de joie. En l'espace d'une année, le pensionnat lui avait enlevé un frère et lui en avait donné un autre. Il pouvait remercier Castor d'avoir accompli ce miracle pour lui. Son ami allait parler de son fameux projet, lorsque la cloche sonna le début des classes.

* *
*

Après le dîner du dimanche, alors que tout le monde jouait dans la grande cour, Castor lui fit signe de le suivre. Maintenant qu'ils étaient frères de sang, il pouvait lui montrer quelque chose d'ultrasecret, un secret qu'il n'avait jamais partagé avec personne. Mais avant, Luc-John devait jurer sur la tombe de son être le plus cher au monde, de ne jamais le dévoiler, au péril de sa vie. Luc-John jura sur la tombe de son grand-père. Pour Castor, ce n'était pas assez. Il lui demanda de se mettre à genoux et de se signer le cœur en disant :

En signant mon cœur de la croix, je jure que ton secret devient mon secret pour toujours. Qu'on m'enfonce des aiguilles dans les yeux et qu'on me tue si jamais je le révèle à qui que ce soit.

Après avoir entendu ce terrible serment, Castor s'assura qu'ils n'étaient pas surveillés avant d'entrer dans l'école par une porte de côté. Pendant les heures de récréation du dimanche, le bâtiment devenait un lieu interdit aux pensionnaires. Il fallait une bonne raison pour oser s'y aventurer et s'exposer ainsi aux foudres du surveillant.

Sur la pointe des pieds, ils descendirent au sous-sol où un corridor faisait toute la longueur de l'immeuble. De chaque côté, de grands casiers grillagés, barrés de cadenas, renfermaient les articles confisqués aux pensionnaires à leur arrivée. Certains casiers n'avaient pas été dérangés depuis des années. Luc-John n'était jamais venu dans ce coin du pensionnat auparavant. Il était à la fois excité et angoissé par cette aventure illicite et clandestine. Au fond du couloir, une série de portes s'ouvraient sur de petites salles. Castor déverrouilla l'une d'elles et, une fois entré, la referma aussitôt. À peine éclairée par une petite fenêtre, la pièce sentait le renfermé et contenait de vieux meubles et des articles entassés les uns sur les autres. Castor suivit un étroit passage jusqu'au fond où, caché par un grand paravent, il s'était aménagé un petit salon meublé d'un vieux fauteuil, d'une chaise en osier défraîchie et, entre les deux, d'une table à café avec une lampe. Une vieille malle au centre recelait quelques-uns de ses trésors. Il était fier de montrer son repaire secret, l'endroit où il aimait se réfugier pour avoir la sainte paix.

Il alluma la lampe et ouvrit la malle. Il en sortit quelques vieilles revues de l'association Jeunesse étudiante chrétienne, un grand livre à reliure rouge intitulé *Les Chrétiens illustres depuis la prédication des apôtres jusqu'à l'invasion des barbares*, une boîte à biscuits en métal vide et d'autres articles tout aussi ennuyants. Il sourit en voyant la mine déconfite de son ami.

– C'est un leurre. Si jamais les pères découvrent ma cachette, je pourrai toujours dire que c'est mon endroit de recueillement, où j'aime lire sur la vie des chrétiens illustres. Maintenant, je vais te montrer mes vrais trésors.

Luc-John le suivit dans un coin de la pièce où Castor déplaça quelques boîtes en bois. La dernière contenait un sac à dos et une carte géographique de la rivière Blanche indiquant les routes et les villages de la région. Il y avait aussi une corde, des allumettes dans un contenant en métal, une ligne à pêche à la main ainsi que le fameux couteau de chasse de la grange, tous des articles indispensables pour quelqu'un désirant s'enfuir un jour.

– Attends de voir ce que j'ai ici!

Castor s'empressa d'ouvrir toutes grandes les portes d'une armoire et poussa de côté les vieux manteaux d'hiver, pour révéler des vêtements amérindiens.

– Viens, on va les essayer.

Luc-John ne se le fit pas dire deux fois. Ils n'étaient pas aussi bien faits que ceux de sa mère, mais ils lui allaient très bien. Castor était méconnaissable dans les siens. Tout excité, débordant de joie, il lança un de ces cris du guerrier, à défoncer les tympans. Emporté par le moment, Luc-John cria encore plus fort. Soudain, pris de panique, tous deux arrêtèrent de respirer, à l'affût du moindre bruit pouvant révéler qu'on les avait découverts. Rassurés, ils s'esclaffèrent. Depuis son arrivée au pensionnat, Luc-John ne s'était jamais senti aussi heureux. Puis, Castor ajouta, les yeux fiévreux :

– C'est pas tout, c'est pas tout, regarde.

Il lui montra deux énormes boîtes de conserve, l'une aux petits pois et l'autre aux pêches dans du sirop. En voyant les deux vraiment grosses boîtes,

Luc-John éclata d'un fou rire, Castor aussi. C'était contagieux.

– Il ne nous manque plus qu'un ouvre-boîte et nous nous régalerons de petits pois et de pêches pour le restant de nos jours. Mais, ce n'est pas pour tout de suite. On les garde pour notre fuite.

Trop excité pour remarquer la surprise de son ami, Castor continua à décrire ce qu'il avait prévu comme projet.

– Une fois vides, les boîtes de conserve serviront de batterie de cuisine, pour faire bouillir de l'eau ou pour cuire tout ce que nous chasserons et pêcherons. Avec les couvercles en métal, on pourra fabriquer des pointes de flèches. Je te dis qu'avec les arcs, les flèches et la ligne à pêche, on aura les moyens de survivre en forêt longtemps. Tout l'été, pendant mes vacances en canot-camping avec les frères, j'ai relevé les meilleurs endroits pour la cueillette, pour la chasse et pour la pêche sur la rivière Blanche. Inquiète-toi pas, on ne mourra pas de faim comme les fugueurs qui sont revenus la queue entre les jambes, parce qu'ils ne trouvaient plus de nourriture après quelques jours. La clé de notre réussite sera notre capacité de manger à notre faim. Le reste suivra, c'est sûr.

Luc-John l'écoutait bouche bée, doutant d'avoir bien entendu. L'idée que Castor voudrait un jour s'enfuir ne l'avait jamais effleuré. Il ne savait pas pourquoi. Il croyait que son ami était bien ici, aimé des bons pères et en particulier, du père directeur. Il jouissait de privilèges que les autres n'avaient pas. Partout, il ne comptait que des amis. Étonné, Luc-John découvrait le profond désir de Castor de vivre selon ses ancêtres. Il fut encore plus heureux que son ami l'ait choisi pour l'accompagner dans sa grande aventure.

Le plan était simple, mûri de longue date : chaque détail, pensé. Ils profiteraient du congé de Pâques pour s'enfuir. Comme plusieurs frères retournaient dans leur famille pendant la longue fin de semaine, les efforts de recherche seraient réduits d'autant, ce qui leur donnerait le temps de disparaître au diable vauvert.

– Ils ne nous rattraperont jamais, je te le garantis, assura Castor, tout emballé. Le seul hic, il faudra passer l'hiver ici. Il ne sert à rien de se sauver en janvier pour mourir gelé comme une crotte. Puis, ça nous donnera du temps pour mieux nous préparer et tout prévoir.

Ils prendraient l'un des canots pour descendre la rivière Blanche jusqu'à la liberté. Castor remit à Luc-John une liste des articles dont ils auraient besoin. Puis, ils se partagèrent les tâches, la première étant de fabriquer des arcs et des flèches.

Dès le lendemain, ils se mirent à l'œuvre. Trouver des branches d'if de la bonne taille pour les arcs s'avéra plus difficile qu'ils ne se l'étaient imaginés. Les colonies d'ifs dans le boisé autour du pensionnat étaient chétives. Ils n'osèrent pas s'aventurer plus loin en forêt de peur d'éveiller les soupçons des surveillants. Tant qu'ils n'avaient pas de quoi fabriquer des arcs, le projet resterait dans les limbes. Luc-John voulut remplacer les branches d'if par de jeunes érables ou des chênes. Curieusement, les deux espèces se révélèrent tout aussi rares. Wacondah leur interdisait-il de quitter cet enfer ? Ils en étaient rendus là, lorsqu'un matin, alors qu'il travaillait au verger, Luc-John remarqua les tuteurs de jeunes pommiers. En les examinant plus attentivement, il gratta ce qui restait d'écorce, goûta les fines écailles, puis cracha pour se départir du goût amer. Il n'en revenait pas, Wacondah ne les avait pas abandonnés après tout. Quelques jours plus tard, le jardinier remarqua : « Je dois vieillir... J'aurais juré que j'avais mis des tuteurs aux pommiers. »

Les tiges d'if déjà taillées étaient idéales pour la fabrication d'arcs. Les deux compères se mirent à la tâche en fredonnant une chanson amérindienne remerciant le Grand Esprit pour son aide. Le travail dura des semaines et fut exécuté dans le plus grand secret, soit au grenier de la grange ou dans la chambre ultrasecrète de Castor. Personne ne devait se douter de rien. Ils craignaient que la découverte des arcs amène les bons pères à flairer leur projet de fuite. Néanmoins, dès qu'ils furent prêts ainsi que quelques flèches, Castor ne put s'empêcher de courir dans les bois les essayer. Quelles merveilles ! Jamais il ne sentit aussi fier. Luc-John rayonnait.

Par la suite, chaque minute, chaque seconde des semaines et des mois suivants servit à subtiliser ou à fabriquer les articles sur la liste. Ce fut une des périodes les plus amusantes et grisantes de la vie de Luc-John. À chacune de leurs rencontres, il brûlait de montrer à Castor ce qu'il avait trouvé pour compléter la liste.

Aux Fêtes, Castor attrapa une vilaine grippe. Accablé par une toux grasse et creuse, il se mit à perdre du poids et à se fatiguer pour des riens. Le visage émacié, les joues creuses et les yeux au plus profond de leur orbite, Castor devint malade, gravement malade. Un soir qu'il n'arrêtait plus de tousser, il fut transporté à l'infirmerie. Luc-John voulut l'accompagner, mais on refusa. Le lendemain, il expliqua en vain à la sœur infirmière que, s'il pouvait voir Castor, ne serait-ce qu'un instant, son ami surmonterait plus vite sa maladie. Nouveau refus, aucune visite autorisée. Au regard de l'infirmière, Luc-John comprit que l'état du malade était plus grave qu'il se l'était imaginé et s'inquiéta d'autant plus. Sans Castor, tous leurs préparatifs tombaient à l'eau.

Luc-John décida de lui rendre visite à l'insu des enseignants et des surveillants. Un soir, après avoir attendu patiemment dans son lit que les chants grégoriens du vieux phonographe soient remplacés par les ronflements sonores du père Marc, il se faufila sur la pointe des pieds dans le couloir à peine éclairé, jusqu'à l'infirmerie. Heureusement, l'infirmière dormait paisiblement dans sa chambre. N'ayant pas trouvé Castor dans la salle commune, il se dirigea à tâtons vers une autre pièce, où les élèves contagieux étaient isolés. Il n'avait pas revu Castor depuis une semaine et avait hâte de lui parler. Mais quel choc ! Castor était l'ombre de lui-même, les couvertures montées jusqu'au cou, la sueur perlant sur son visage, les cheveux mouillés et collés sur le front. Il ne bougeait pas. Comme Luc-John l'entendait à peine respirer, il crut un instant qu'il était mort. Une main glacée lui serra le cœur. Ce ne fut qu'en le touchant qu'il fut rassuré. Castor brûlait de fièvre. Luc-John lui parla à voix basse, près de l'oreille, pour le tirer de son sommeil. Castor ouvrit les yeux et ses lèvres dessinèrent un faible sourire.

– Luc-John, murmura-t-il.

Il était le seul au pensionnat à continuer à l'appeler par son vrai prénom. Castor avait de la peine à soulever les paupières, tellement il était faible. Ébranlé par son apparence, Luc-John ne sut que faire. Alors, il lui parla de tous les articles qu'il avait rassemblés et de l'évolution des préparatifs pour le grand départ. Seule sa guérison manquait au tableau. Castor ouvrit les yeux tout grands, pour la première fois. Une étincelle brilla au fond de ses prunelles, pour se dissiper lentement.

– Oui, partir..., réussit-il à dire d'une voix à peine audible, avant de se rendormir.

Luc-John prit sa main et, sans dire un mot, il resta là jusqu'au premier signe du jour naissant. Castor ne bougea ni n'émit de son pendant tout ce temps. Comme un voleur, à la première lueur du matin, Luc-John retourna à son lit, trop troublé pour se rendormir. Une heure plus tard, la cloche sonna, marquant le début de la journée de classe.

La nuit suivante, il voulut répéter son exploit, mais il était si fatigué qu'il s'endormit au premier chant grégorien. À son réveil le lendemain, il se reprocha sa faiblesse et se jura que la nuit venue, il visiterait Castor à nouveau. Un va-et-vient constant, sur l'étage ainsi qu'à l'infirmerie, fit échouer son plan. Que se passait-il donc ? Ce n'est que quelques jours plus tard, une fois le calme revenu, qu'il put retourner à la chambre de Castor.

Lorsqu'il y entra, la pièce était vide, sans literie ni même de matelas, seulement le sommier de métal froid. En état de panique, il entra en catastrophe dans la chambre de la sœur infirmière, criant à tue-tête qu'il voulait voir Castor. Il était mort et la direction du pensionnat n'en avait rien dit. L'irruption de Luc-John dans la chambre de l'infirmière à trois heures du matin lui mérita une sévère correction.

Quand un enfant mourait, le corps retournait aux parents avec une petite note laconique : « Votre petit ange est monté au paradis. » Pour les enfants orphelins, le corps était enterré dans le petit cimetière attenant au pensionnat, dans les vingt-quatre heures suivant le décès. En hiver, le corps était entreposé dans le charnier, un petit édifice en pierre grise, sans fenêtre et surmonté d'une croix, jusqu'au dégel. Seul le personnel assistait à l'enterrement. Pourtant, peu de religieux le pouvaient, trop accaparés par leurs fonctions. La plupart du temps, le père Lacombe était l'unique témoin, mais pour le service funèbre de Castor, ils furent plus nombreux.

La politique des frères était de cacher tout décès aux pensionnaires. Il était préférable de ne rien dire pour ne pas perturber les élèves. S'ils s'interrogeaient sur l'absence d'un des leurs, les bons pères prétendaient qu'il était retourné chez ses parents ou parti dans un autre pensionnat, voilà tout. La disparition de Castor créa toutefois un vide si grand, que son absence put difficilement être passée sous silence. L'atmosphère de deuil devint palpable dans tout le pensionnat. Rien n'était plus pareil.

Le plus peiné de tous, Luc-John commença à dépérir à son tour. Le voyant si mal en point, le père Fabien, l'un des plus gentils, décida de l'aider à surmonter son chagrin. Il passa de longs moments à se promener avec lui dans la cour, pendant les récréations, en parlant du sens de la vie, du rôle de Dieu et de la vocation. Il invita Luc-John à méditer sur une existence au service du Seigneur, maintenant que Castor était parti. Le père Fabien ne confirma ni ne nia le décès de Castor. Lorsque

Luc-John exprima le besoin de se recueillir devant la tombe de son meilleur ami, avant de pouvoir passer à une autre étape de sa vie spirituelle, le père le laissa devant le petit cimetière, un endroit normalement interdit aux pensionnaires. Luc-John eut beau se promener devant chacune des tombes, il ne trouva pas celle de Castor. En revenant sur ses pas, il remarqua la porte légèrement entrouverte du charnier. Il y entra. La place était sombre et glaciale. Il n'y trouva qu'un cercueil au centre de la pièce et, tout près, une croix de bois peinte en blanc, avec en lettrage noir « Homère Dupuis, 1929-1940 ». Alors, il se rappela que c'était le nom chrétien de Castor. Il resta jusqu'à la brunante, à parler à Castor comme s'il était à ses côtés. Au pensionnat, on s'inquiéta de son absence prolongée, mais le père Fabien rassura tout le monde. Lorsqu'il rentra, sa décision était prise. À la première occasion, Luc-John partirait pour de bon.

CHAPITRE 11

La fuite

Finalement, Luc-John ne partit pas la fin de semaine de Pâques comme prévu. Il n'avait pas le sourire passe-partout et désarmant de Castor pour chiper les objets sans se faire remarquer, ce qui le retarda un peu. La météo n'était pas de la partie non plus. La glace sur le lac Marmotte n'avait pas calé et, pour couronner le tout, la dernière tempête de l'hiver avait ralenti la fonte des neiges. Il fut fin prêt au début de mai, quand la chaleur du printemps osa enfin se manifester. Sauf qu'avant de partir, il fut assailli par un tas de questions : « Partirait-il seul ? Inviterait-il un ami ? Qui ? » À part Castor, il n'avait pas vraiment d'ami proche et personne d'autre ne lui inspirait confiance. Il craignait les bavards et les délateurs. Il pensa à Sakay. Avait-il changé ? Voudrait-il le suivre ?

À leur rencontre, Sakay se montra angoissé. Il regardait de tous les côtés, s'attendant à ce que le surveillant leur tombe dessus d'un moment à l'autre. Au premier mot de Luc-John en amérindien, il blêmit, puis le rabroua vertement, en français :

– Tais-toi ! Tu veux qu'on soit punis ? C'est déjà assez grave qu'on soit ensemble !

– Y'a personne qui va m'empêcher de parler à mon frère comme je veux, répliqua Luc-John, fâché.

Mais, devant l'évidente détresse de son jeune frère, il céda et parla comme un Blanc. Se sentant mieux, Sakay se dit heureux de le voir en meilleure forme que dans l'autobus qui les avait ramenés au pensionnat. Il avoua s'être inquiété, ce qui surprit Luc-John. Puis, il informa son aîné qu'il avait demandé la permission au père directeur de rester deux semaines de plus en juin, pour participer au grand ménage de fin d'année scolaire. Luc-John l'écouta perplexe. Alors qu'il cherchait par tous les moyens à partir, son jeune frère s'ingéniait à rester. Lorsque Sakay lui demanda la raison de leur rendez-vous, Luc-John répondit :

– J'avais envie de te dire bonjour. Un grand frère doit dire bonjour à son petit frère, une fois de temps en temps.

Sakay le regarda, suspicieux. Luc-John se leva, lui fit l'accolade et s'en alla. « Eh bien, c'est décidé... je partirai seul et c'est tant mieux. Castor approuverait... », pensa-t-il en souriant.

La glace disparut enfin sur le lac. L'heure du départ avait sonné. Comme il s'enfuyait de nuit, Luc-John visa le premier soir de pleine lune. Les jours avant, il apporta au lac Marmotte les articles prévus pour sa fuite et les cacha près du hangar à canots. La veille, il se coucha comme si de rien n'était.

* *
*

Depuis son escapade à trois heures du matin pour retrouver Castor à l'infirmerie, la direction avait remplacé le frère Marc, au sommeil comateux et ronflant, par le frère Jules, au sommeil léger et silencieux. Après les chants grégoriens, Luc-John s'efforça d'écouter attentivement pour déceler le moindre indice que le nouveau surveillant dormait. De grands moments de silence, puis un bruit à peine perceptible. Que faisait-il ? Malgré lui, Luc-John s'assoupit. Curieusement, il se réveilla sans aide, frais et dispos, au milieu de la nuit. Tout était silencieux sauf pour la respiration des dormeurs autour de lui. Il crut avoir été tiré de son sommeil par une force inexplicable. Il était étonnamment calme et serein, pas du tout nerveux. « Sois furtif comme une ombre… et tout se passera bien », pensa-t-il entendre. « Castor ? » se demanda-t-il. Il s'habilla rapidement et moula son oreiller et ses couvertures pour laisser croire qu'il était toujours au lit. Sur la pointe des pieds, ses bottes dans les mains, il se faufila vers la liberté. En arrivant à la chambre du frère Jules, il hésita devant la lumière toujours allumée et la porte grande ouverte. Que faire ? S'il continuait, il serait sûrement vu. Puis, il entendit un faible ronflement. Rassuré, il passa et descendit les marches d'escalier à pas feutrés. Il avait l'impression que tout le pensionnat était envoûté, plongé dans un profond sommeil. Seule à sonner l'alarme, la porte extérieure du bâtiment grinça sur ses gonds lorsque Luc-John sortit, mais le bruit était à peine perceptible.

À l'air libre, il courut comme un forcené vers le sentier du lac Marmotte. Puis il s'arrêta, effrayé. La nuit était d'un noir opaque. Où était la pleine lune ? Il se rappela l'affreuse nuit noire à errer et à tâtonner comme un aveugle près du monastère alors qu'il recherchait Sakay. Devait-il continuer ou rebrousser chemin ? « Castor, laisse-moi pas tomber maintenant... », implora-t-il de tout son cœur. Comme s'il avait été entendu, le ciel s'éclaircit, révélant une clarté tamisée, légèrement dorée. Le sentier sinueux s'illumina presque par magie. Au hangar à canots, il retrouva son sac à dos rempli des effets qu'il avait rassemblés. Ce ne fut qu'en mettant ses vêtements amérindiens qu'il se sentit vraiment libre. Incroyable, il avait réussi son coup.

Il s'avança jusqu'à la porte cadenassée du hangar en cherchant le pied-de-biche dans son sac. « Un petit coup pour arracher le cadenas, puis j'aurai l'embarras du choix de canot. Après ça, bonsoir la visite, adieu et au revoir », se dit-il, amusé. Son cœur se serra, il ne trouvait plus le pied-de-biche. Il vida le sac. RIEN ! L'avait-il laissé dans la chambre secrète de Castor ? Quelle catastrophe ! Il sentit une sueur froide lui couler dans le dos à l'idée de retourner là-bas, alors que tout allait si bien. Il eut envie de pleurer et, frustré, donna un bon coup de pied par terre. Il buta contre un objet lourd, qu'il sentit bouger. Le pied-de-biche ! Dans son excitation, en fouillant dans ses bagages pour changer de vêtements, il n'avait pas remarqué qu'il avait mis l'outil de côté. Soulagé, il embrassa le pied-de-biche et se remit à l'œuvre. Le cadenas céda rapidement. « Il ne faut pas oublier d'apporter des rames, avait dit Castor lorsqu'ils révisaient la liste des objets à apporter. Les frères ne sont pas des imbéciles, ils ne laissent pas de rames au hangar. Ils savent qu'un canot sans rame ne vaut rien. » Luc-John se souvint de l'embarras qu'il avait eu à sortir l'aviron du pensionnat, un soir de semaine. Heureusement, personne ne l'avait remarqué. Il s'esclaffa en pensant à la réaction du frère Jean, surnommé Œil de faucon, la fois où le religieux l'avait surpris, quelques jours avant son départ, avec une des énormes boîtes de conserve sous le bras.

– Où tu vas avec ça ? avait-il demandé, en l'intimidant de ses yeux accusateurs.

– À l'atelier de menuiserie, avait répondu Luc-John, le plus naturellement du monde. Ils ont besoin d'une boîte pour ranger les vieux clous.

Le frère le zieuta encore un bon moment, espérant sans doute voir le jeune craquer sous son regard foudroyant, comme ils le faisaient tous d'habitude. Heureusement, Luc-John tint bon et le frère Jean le laissa partir, sans se douter que la boîte était pleine de petits pois. Néanmoins, quelle aventure déplaisante !

Il mit le canot à l'eau. À chaque coup de rame, le canot se dirigeait de côté pour faire un grand cercle. Pour corriger la trajectoire, il pagaya de l'autre côté. « Maudite marde, je n'arrête pas de zigzaguer. J'ai peur de rester pris ici ! » Dans son énervement, il semblait avoir oublié toute technique. Qui pouvait prévoir qu'il aurait du mal à maîtriser son canot ? Il en avait tellement fait avec son père que ce ne devait plus être un mystère pour lui. Et pourtant. Il n'avait jamais voyagé seul et, de surcroît, la nuit. Pour avancer en ligne droite, il fixa un repère, un grand sapin, sur la rive opposée, ce qui l'aida énormément. Il se sentit mieux lorsqu'il traversa le marécage pour se rendre à la rivière Blanche, gonflée par la crue printanière. Enfin, il mettait un peu de distance entre lui et le pensionnat. Les flots de la rivière étaient plus menaçants que ceux du lac, ce qui l'inquiéta un peu. Par chance, il suivait le courant et avait le vent de dos. La technique lui revenait et il finit par filer bien droit, en ramant d'un seul côté.

Le premier soir de sa liberté, il hésita à faire un feu de peur d'être repéré. Une fois sur la rive, il vit fondre sur lui des nuées de brûlots. Les petites mouches noires s'engouffraient dans ses oreilles, son nez et sa bouche. Il pouvait à peine ouvrir les yeux sans que l'une d'elles s'y « kamikaze ». Elles s'attaquèrent à l'arrière de ses oreilles, à son cou et à ses chevilles, en autant de petites brûlures. Il avait beau les chasser de la main, courir et même sauter dans l'eau glacée, les mouches noires revenaient encore plus nombreuses et tenaces. En désespoir de cause, il alluma un feu qu'il nourrit de branchages de sapins verts et de cèdres mouillés. Ça lui prenait un bon feu *boucaneux* avant qu'il devienne fou. Au diable, s'il était découvert. Il s'assit dos à la fumée blanche épaisse, une couverture sur la tête. Il voulait être enveloppé de boucane de la tête aux pieds et fumé à souhait, seul moyen à sa connaissance de chasser les brûlots, les moustiques et les mouches à chevreuil. Il ouvrit une des boîtes de conserve géantes. Il toussait. Les yeux lui picotaient. De grosses larmes coulaient sur ses joues, mais il était heureux d'être là à manger les premiers petits pois de la liberté. Pour la première fois depuis le décès de Castor, il était content, vraiment content de lui-même et de son exploit. Sacré Castor ! S'enfuir était son idée.

Luc-John espérait que la disparition du canot ne serait pas découverte avant quelques jours encore ou même des semaines. Avait-il bien effacé toutes ses traces près du hangar et bien refermé la porte ? Le cadenas avait-il été replacé comme s'il n'avait jamais été forcé ? Le doute l'accablait. D'après Castor, les frères étaient des amateurs de plein air. S'ils étaient sur sa piste, ils le retrouveraient assez vite. Alors, Luc-John décida de ne pas rester au même endroit plus d'une nuit. Dès les premiers rayons de soleil, il levait le camp, mangeait en vitesse et ne s'arrêtait qu'à la brunante. Heureusement, les endroits pour la pêche indiqués sur la carte par Castor s'étaient révélés poissonneux. Il put agrémenter les petits pois avec de la chair d'achigan, de doré et de barbotte.

Tout se déroulait comme Castor l'avait prévu. Les articles qu'ils avaient péniblement amassés permettaient à Luc-John de bien vivre en forêt. Le canot devint un charme à diriger. Tout était parfait, sauf que Castor n'était pas là. Luc-John passait ses journées à réfléchir en ramant sur la rivière, à se souvenir de son ami, puis à ne penser à rien, sans s'inquiéter du lendemain. Lorsqu'il y avait des habitations sur la rive, il passait à toute vitesse du côté opposé de la rivière. S'il s'agissait d'un village, il attendait parfois la noirceur avant de poursuivre sa route. Castor l'avait bien averti :

– Surtout, n'arrête jamais à une ferme ou à un village pour demander de l'aide ou de la nourriture. Les habitants sont les premiers à dénoncer les fuyards aux autorités.

Luc-John n'avait pas de projet précis. Il espérait qu'en suivant la rivière Blanche jusqu'à son embouchure, il trouverait un moyen de se rendre à la vallée de la rivière Grise pour retrouver ses parents. Il poursuivit sa route sans anicroche pendant quelques jours. Il ne percevait aucun signe qu'il était poursuivi et s'inquiéta de moins en moins, jouissant de sa nouvelle liberté. C'était un beau printemps avec du soleil, un peu de pluie et de la chaleur. La pêche était bonne et déjà des petites fraises sauvages commençaient à rougir pour accompagner son régime. Il avait mangé ce qu'il avait pu des petits pois. Il était passé aux pêches dans un sirop. Le goût du sucré avait été un vrai régal au début, mais maintenant il avait hâte d'en finir et de passer aux petits fruits sauvages. Il cueillit de l'ail des bois et des cœurs de jeunes quenouilles pour varier son menu. En canot, il eut à franchir quelques eaux vives avec de petites vagues, sans obstacle. Pour de gros rapides, il n'hésitait pas à faire un portage. Plus ça allait, plus il devenait entreprenant et s'aventurait dans des rapides où il voyait un passage large, avec quelques rochers en saillie faciles à éviter.

Traverser les remous allait bien plus vite et l'excitait beaucoup plus que de se taper un long portage éreintant. Reste qu'il était prudent. En cas de doute, il ne tentait pas sa chance. C'est pourquoi il s'expliquait mal sa mésaventure. Après un début d'eau vive, il s'était engagé dans un tournant de la rivière. Une fois le coude passé, il eut la désagréable surprise de se retrouver dans de longs rapides aux vagues puissantes et irrégulières. Le courant l'emporta vivement vers des rochers effleurant la surface de l'eau. Terrifié, il évita les écueils du mieux qu'il put. Puis, soulagé, il remarqua un étroit passage au milieu de roches et de tourbillons bouillonnants. « Ma porte de sortie », pensa-t-il, lorsque le canot s'enfonça brutalement dans un rouleau d'eau blanche. Un fort courant le poussa violemment hors de l'embarcation et le tira dans le fond, puis le propulsa à la surface un bref instant avant de le ramener sous l'eau. Il voulut crier de douleur lorsqu'il s'érafla la figure sur des rochers. Au bout de ce qui lui sembla une éternité, la rivière le recracha sur la rive. Il était complètement sonné et avait mal partout. Il resta étendu un bon moment, avant de retrouver ses esprits.

Le bilan de sa témérité était très lourd. Il osa à peine croire ce qui lui était arrivé. Pieds et torse nus, il ne lui restait plus que son brayet. Meurtri et éraflé sur tout le corps, il répandait une odeur de sang qui attira des nuées de bestioles. Le cœur lourd, il vit, au milieu des rapides, le canot écrasé contre un rocher, prisonnier du courant. Puis, dans l'espoir de retrouver quelques-uns de ses précieux objets, il suivit la rive un bon moment. Finalement, il se rendit compte que la rivière lui avait tout pris, sauf la vie, mais c'était tout comme. Il se trouvait en pleine forêt sans rien pour assurer sa survie. Il resta assis sur la rive à regarder la rivière et les rapides, harcelé par les brûlots, ce qui était le moindre de ses soucis.

Découragé, il quitta la rivière et entra dans la forêt comme un zombi et marcha pour ce qui lui sembla des heures, sans trop savoir où il allait. Il espérait trouver quelques talles de fraises ou de bleuets pour calmer sa faim. Rien. Le soir venu, il se coucha où il était, le ventre creux et complètement épuisé. Il rêva qu'il était assis sur la rive d'une immense rivière aux reflets d'argent. Au loin, un point brillant s'avança vers lui. C'était son grand-père, dans un grand canot doré. Il lui montra une place vide près de lui et dit :

– Fils de la rivière Grise, il y a une place pour toi auprès de nous, lorsque ton temps viendra.

Grand-père n'était pas seul dans le canot. Grand-mère et Castor lui souriaient ainsi que tous ses ancêtres depuis le début des temps. L'aïeul poursuivit :

– Luc-John, ton totem t'appelle. Pendant trois jours, tu erreras dans la forêt sans manger ni boire, en priant et en demandant au Grand Esprit de bien vouloir t'accorder une vision. Alors seulement, un animal t'apparaîtra et cet animal sera ton totem. Il t'apportera sa protection, son courage et sa sagesse tout au long de ta vie.

Ensuite, son grand-père et tous ses ancêtres se transformèrent en un aigle brillant et majestueux qui s'envola très haut dans le ciel, jusqu'à disparaître de sa vue. C'est en se souvenant de ce rêve merveilleux qu'il se réveilla. Il avait froid, faim et la gorge irritée par la soif, mais il se sentit plein d'espoir et investi d'une mission importante. Il ramassa une vieille branche pour en faire un bâton de pèlerin et commença sa longue marche dans la forêt. Trois jours à marcher et à prier le Grand Esprit. Le soir et pendant son sommeil, Castor venait lui tenir compagnie, l'encourager, le consoler, lui conter les histoires les plus abracadabrantes, pour le faire rire. Castor n'avait pas changé. Il était tout excité par la grande aventure de Luc-John.

Sa marche amena ce dernier à traverser des boisés et des clairières, et à gravir des montagnes. Au matin du troisième jour, il avait la gorge en feu et de la peine à avaler. La faim qui le harcelait s'était mystérieusement dissipée. Comme un fou, il cherchait de l'eau. « Juste une goutte, et je mourrai heureux », gémit-il intérieurement, en espérant que Castor ou son grand-père répondrait à son appel.

Il crut entendre une chute au loin et se mit à en suivre le son, avec tout ce qui lui restait d'énergie. Il arriva au bord d'un précipice et sentit un crachin rafraîchissant arroser son visage. Quel délice ! La bouche grande ouverte, il s'efforça d'attraper les fines gouttelettes, sans parvenir à étancher sa soif. Il aboutit presque au sommet d'une chute et vit un mince filet d'eau s'écouler sur le côté, à ses pieds. Les mains en coupe, il but. Ah... de l'eau ! Quel soulagement ! Chaque fibre de son être reprit vie. Étrangement, il se sentit aussi renaître intérieurement. Les couleurs autour de lui devinrent plus vibrantes. Tout était plus vivant.

En se tournant, il remarqua, étonné, un renard assis à quelques mètres de lui, les oreilles dressées et la tête penchée de côté. Son pelage était d'un roux éclatant, sauf pour une étoile blanche sur la poitrine. Il eut l'impression que l'animal l'attendait depuis le début des temps.

« Mon totem, pensa-t-il. Et quel bon totem ! » Le renard peut devenir invisible, se fondre dans le décor. Il admirait surtout l'adaptabilité, l'astuce, la capacité d'observer ainsi que la rapidité de pensée et d'action du renard.

Comme Luc-John allait dire quelque chose en remerciement, le renard sauta de côté, entra dans la forêt, s'arrêta puis revint sur ses pas afin de s'assurer d'être suivi. Sans hésiter, Luc-John se laissa guider. Il descendit la montagne et s'avança vers une ferme. Normalement, il ne se serait jamais approché des bâtiments de Blancs, mais aujourd'hui, c'était différent. Le renard traversa la cour de la ferme pour disparaître de l'autre côté de la maison. Lorsque Luc-John le suivit, il ne trouva qu'un jardin de mauvaises herbes, mais pas de renard. Il le chercha partout, plus aucune trace. Curieusement, la ferme semblait abandonnée. Tout était là, les outils, les meubles et les vêtements, donnant l'impression que les gens allaient revenir d'un moment à l'autre. Mais, d'après l'épaisseur de la poussière, ils n'étaient pas pressés.

Luc-John toussa, puis s'essuya la bouche. Il pensa aux terribles quintes de Castor. Depuis son aventure en forêt, il ne cessait plus de tousser lui non plus. Du repos, il avait besoin de repos. « Est-ce que mon totem m'a amené ici pour que je puisse me rétablir avant de reprendre ma grande aventure pour retrouver mes parents ? » se demanda-t-il.

Il fut heureux de trouver dans la maison quelques vêtements à sa taille, même s'il s'agissait de frusques de Blancs. L'endroit avait d'autres avantages. Il offrait aussi des articles de pêche, de quoi fabriquer un arc et des flèches et même un canot. Tout le reste du printemps et du début de l'été, il s'affaira autour de la ferme. Puis, un jour, le renard m'amena à la ferme et favorisa notre rencontre...

CHAPITRE 12

Conrad

On était deux êtres blessés. C'est peut-être pour ça qu'on s'entendait si bien. L'histoire de Luc-John avait de quoi me faire réfléchir. Longtemps, j'en avais voulu à la vie de m'avoir si injustement traité. Le destin m'avait tout enlevé du milieu familial agréable que j'avais connu. L'abandon de mon père, le décès de ma mère et les ennuis avec mon oncle avaient fait jaillir en moi une rage peu commune. Luc-John avait vécu une histoire pire que la mienne, mais avait engrangé différemment. Je ne sentais pas en lui cette haine profonde qui m'habitait. Pour lui, l'important était de vivre au quotidien et, en particulier, d'assurer sa survie. À la ferme, il voulait prendre le temps de se rétablir de sa maladie avant de repartir retrouver les siens. Si ça lui prenait un an de convalescence, eh bien, soit ! Toutefois, l'hiver l'inquiétait et les provisions de nourriture aussi. Je trouvais étrange qu'en début juillet, monsieur se préoccupe des rigueurs d'un hiver qui ne nous tomberait pas dessus avant plusieurs mois. Sans doute avait-il raison, le temps passe vite et, sans qu'on s'en rende compte, la neige nous ensevelit.

Depuis son arrivée en mai, il s'était attaqué au potager et avait planté les quelques pommes de terre rabougries qu'il avait trouvées dans le caveau, avec l'espoir qu'elles poussent. Les plants se portaient à merveille. Il avait semé ce qu'il avait trouvé de graines de maïs, de haricot et de courge miraculeusement épargnées par la vermine. Un vrai méli-mélo. Il avait tout semé ensemble. J'étais habitué à des rangées de légumes bien droites et à chaque rangée son légume.

– Coudon, t'es un bien drôle de jardinier de tout planter de même.

– Ben quoi ? C'est comme ça qu'on sème les Trois Sœurs.

– Les Trois Sœurs ?

Devant mon regard ignorant, Luc-John entreprit de m'instruire.

* *
*

Wacondah, le Bon Esprit, créa l'homme, la femme et tout ce qui était bon pour eux. Pour le contrarier, son frère jumeau, Makatewaw, le Mauvais Esprit, s'amusa à provoquer la maladie, la famine et la guerre et tout ce qui était mauvais pour l'homme. Lorsque le Bon Esprit somma la Terre de produire des céréales, des noix, des fruits et des légumes pour nourrir les hommes, son jumeau imagina les parasites pour tout dévaster. Inquiet, Wacondah dit : « Nehi-Ya, pour parer à la vermine créée par mon frère, sème les Trois Sœurs : le maïs, le haricot et la courge comme ceci. » Wacondah fit un monticule de terre où il sema le maïs. Lorsque les pointes sortirent du sol, il planta les graines de haricots et de courges tout autour. « Comme tu vois, le monticule assure un bon drainage et une belle surface ensoleillée pour le maïs. Le haricot, cette plante joyeuse et fouineuse, se sert de la tige du blé d'Inde comme tuteur pour grimper, dans l'espoir d'atteindre l'astre de vie, le soleil, et de se gorger d'énergie qu'elle retourne à la terre pour l'enrichir. Grâce à cet apport, la courge peut produire de larges feuilles qui recouvrent le sol, pour en conserver l'humidité et réduire la croissance des mauvaises herbes. Les poils épineux de sa vigne découragent les ravageurs d'approcher. En s'entraidant, les Trois Sœurs sont plus fortes et produiront quantité de fruits pour toi et tes enfants. »

* *
*

En regardant les plantes verdoyantes du jardin, je dus admettre que, Trois Sœurs ou non, sa méthode avait du bon.

Depuis son arrivée, Luc-John n'avait pas chômé. Il avait remis en marche le vieux fumoir dans la cour et boucanait la chair de poisson et de tous les mammifères qui avaient le malheur de croiser son chemin. Sa grande inspiration fut cependant de faire du pemmican. Enfant, il avait vu sa mère et sa grand-mère en préparer. Il hésitait, craignant de manquer sa recette et de gaspiller de bons ingrédients. Sa réussite nous garantirait une bonne source de protéines tout l'hiver. En fait, le pemmican bien entreposé peut se conserver des années.

La recette était simple. Luc-John retirait le gras et les tendons d'une pièce de viande, qu'il tranchait en fines lamelles, pour les faire sécher au soleil au point qu'elles soient cassantes au toucher. À l'aide d'un pilon, il pulvérisait ensuite la viande déshydratée. Pour agrémenter le goût, il ajoutait quelques petits fruits séchés, puis laissait le mélange sec de côté le temps de faire fondre le gras animal pour en faire une huile claire. Ensuite, il combinait le tout, à raison d'une part d'huile pour deux parts d'ingrédients secs. Il obtenait ainsi le pemmican, qu'il moulait en boule, celui-ci ayant la grande qualité de ne pas moisir. Il fut assez fier de son premier essai. Il en prit un bon morceau qu'il mâcha quelques secondes avant de l'avaler difficilement.

– Il goûte un peu fort, mais on va être bien content d'en avoir cet hiver, si jamais il nous reste plus rien à manger, remarqua-t-il, en souriant.

Curieux, j'en pris un morceau. Un goût faisandé prononcé m'emplit la bouche au point de déclencher mon réflexe de vomir violemment. Je réussis à me maîtriser avec peine et, en vrai homme, avalai d'un coup sec. J'avais les larmes aux yeux et ne pus m'empêcher de pousser un « YARK ! » effroyable. Luc-John fut pris d'un fou rire. Je ne la trouvais pas drôle, mais ne pus m'empêcher de m'esclaffer à mon tour. Entre deux hoquets, il prit la peine de m'expliquer :

– Le pemmican est un concentré de nourriture très puissant. Wacondah a remis la recette à Nehi-Ya pour l'aider à affronter les longs mois maigres de l'hiver. C'est la nourriture des dieux. On ne doit pas trop en manger, ni trop souvent. Sinon, le pemmican brûle tout notre intérieur.

– Ah, il n'y a pas de doute que pour être fort, c'est bien fort ! Et au goût, on comprend que Wacondah n'a jamais voulu en faire une pâtisserie, renchéris-je avec un frisson, l'arrière-goût âcre du pemmican me restant pris dans la gorge.

Luc-John réussit mieux sa deuxième recette. Son truc : il prit un gras au goût moins sauvage et plus frais. Plus tard, je découvrirais qu'il n'y a rien de meilleur que du pemmican préparé à base d'huile de bacon. L'arrière-goût ne me dérange pas du tout dans ce cas-là.

* *
*

Malgré tous nos préparatifs, Luc-John demeurait inquiet. Il voulait mettre en réserve suffisamment de nourriture pour un bon huit mois. Il ne voulait plus jamais revivre le cauchemar des cris de famine du Wendigo, qu'il avait si bien connus.

– Il faut se préparer au pire et espérer le meilleur, se plaisait-il à répéter. Il va falloir acheter les articles qu'on ne peut pas produire sur la ferme, comme le sel et d'autres bonnes choses qui rendront notre temps sous la neige plus agréable. Un peu d'huile de kérosène et des chandelles aideraient aussi.

Je crus bon d'ajouter :

– J'avoue qu'un peu de savon ne nous ferait pas de tort non plus.

Le hic était qu'on n'avait pas une cenne dans les poches et aucune source de revenus, sauf les quelques fourrures de Luc-John, qui ne valaient pas grand-chose : une peau de belette, une de rat musqué et une de loutre aux couleurs inégales, puis des peaux d'écureuil et de lièvre. Moins que rien pour payer tout ce qu'il y avait sur la liste. Il fallait trouver des fourrures plus payantes au plus vite.

– Y a un étang pas loin avec une grosse hutte de castor, m'annonça-til, sûr d'avoir réglé le problème. Avec des peaux de castor, on pourra sûrement s'acheter tout ce dont on a besoin.

– C'est bien vrai ! J'avais oublié le barrage des castors. Il doit y en avoir en masse pour nous autres.

Comme on n'avait pas de pièges, la stratégie était simple : on démolirait le barrage pour vider le plan d'eau et avoir accès au refuge des castors. Un matin, on partit avec une hache, un pic et des pelles. Je m'attendais à tout démolir en une heure ou deux, mais, arrivé sur place, je déchantai. Le barrage avait plus d'une vingtaine de mètres de long, deux à trois mètres de haut et autant de large. La structure était composée de rondins de bois plantés dans le fond du cours d'eau et entrecroisés de branches transversales. Le tout était consolidé avec de la vase, des pierres et des matériaux divers : un béton armé de lanières de bois flexibles. La pelle n'y entrait pas, les coups de pic rebondissaient ou frappaient dans le vide. Seule la hache aidait un peu. Après des heures d'acharnement, on réussit à entamer une brèche. Quelle sensation merveilleuse de voir l'eau se précipiter dans l'ouverture. Reste qu'en regardant l'étendue de l'étang et le peu d'eau qui s'en écoulait, je me sentis un peu découragé.

– À ce rythme-là, ça va prendre une éternité, maugréai-je frustré.

– Inquiète-toi pas, on va y arriver, répliqua Luc-John, en redoublant les coups de hache sur la paroi, qui cédait bien à contrecœur, centimètre par centimètre.

En fin de journée, on laissa les outils sur place avec l'idée de revenir le lendemain finir ce qu'on avait commencé. Fatigué, trempé jusqu'aux os, j'avoue que j'étais heureux et satisfait du travail accompli. Les choses allaient bon train. Pendant la nuit, l'étang se viderait et demain on passerait à la prochaine étape.

Le lendemain matin, quel choc ! Le plan d'eau n'avait pas baissé d'un iota. Pire, il avait retrouvé son niveau d'avant. La brèche avait été savamment colmatée. J'eus envie de pleurer.

– Maudit gros rat à queue plate ! protestai-je, en colère.

On se remit à la tâche avec plus d'ardeur que la veille. La partie fraîchement réparée cédait plus facilement à chacun de nos coups, ce qui nous encouragea drôlement. Rien ne pouvait nous arrêter. Alors qu'on s'y attendait le moins, une voix de stentor retentit brutalement dans la forêt :

– HÉ ! QU'EST-CE QUE VOUS FAITES LÀ, VOUS AUTRES ?

Je fis un de ces sauts... Je croyais être seul en forêt avec Luc-John et pourtant... Parlant de Luc-John, il avait déguerpi. POUF ! Disparu. À partir de ce moment, je l'appelai Renard rapide. Il aimait mieux ça que Renard froussard. Je restai seul, ma hache dans les mains. Encore loin, un barbu s'avança vers moi en gesticulant, pour que j'arrête ma grande entreprise de démolition. Je comprenais pourquoi Renard rapide s'était enfui. Il craignait d'être ramené au pensionnat. Mais bon, j'aurais bien aimé qu'il soit près de moi pour affronter cet énergumène. J'avais peur d'avoir affaire à un fou furieux. Au contraire, l'étranger me sourit en s'approchant.

– Salut! me dit-il en hochant la tête en signe d'amitié.

Grand, mince, le teint basané, avec une grosse barbe noire en broussaille, il arborait un chapeau brun en feutre orné d'une grande plume d'aigle, sous le rebord duquel on voyait à peine ses yeux foncés. Ses longs cheveux noirs étaient tirés par en arrière à la mode de Luc-John. Bizarrement, il ressemblait à un homme des cavernes habillé en gentleman anglais, avec sa veste de chasse brune en tweed, pièces de cuir défraîchies aux épaules, aux coudes et au bord des manches, mal assortie à ses culottes d'équitation noires et à ses hautes bottes noires en manque d'un bon cirage. Il portait un impressionnant couteau de chasse à la taille et, en bandoulière, une carabine au canon reluisant.

– Ton ami est parti bien vite, remarqua-t-il. Qu'est-ce que vous faites là ?

Je ne savais pas si je devais d'abord nier que Renard rapide avait été avec moi ou répondre à sa question. Comme je tardais à dire quoi que ce soit, il continua :

– Je l'ai vu dans les parages à quelques reprises. Chaque fois que j'ai voulu l'approcher, il s'est sauvé, me dit-il, le regard inquisiteur.

Je ne savais pas comment expliquer le comportement de Luc-John sans révéler qu'il était un fugitif. Je ne dis rien, ce qui donna à l'autre l'occasion de poursuivre son baratin.

– On n'est pas beaucoup dans le coin et ça fait toujours plaisir de croiser quelqu'un de temps en temps. C'est bon de se rappeler qu'on n'est pas tout seul au monde.

Après une pause, il ajouta :

– Je trappe dans la région depuis près de dix ans. Je connais la plupart des trappeurs du coin. Ton ami est chanceux de ne pas s'être aventuré sur le territoire du vieux Tom, un vieux tabarnac qui peut être bien malin des fois. Il n'aime pas la concurrence. J'ai eu des problèmes avec lui à mon arrivée, mais depuis quelques années, il s'est calmé. Pour ma part, je pense qu'il y a assez de gibier pour tout le monde, pourvu qu'on n'ambitionne pas, qu'on respecte les pistes de trappe de chacun et qu'on ne vole pas les pièges ou les prises des autres. À part ça, pas de problème.

Il me regarda longuement dans les yeux, s'attendant à ce que je dise quelque chose. Je hochai la tête comme quoi j'avais compris. Satisfait, il reprit de plus belle :

– J'ai quelques trappes à castor dans le plan d'eau que vous essayez de vider. Je trouve regrettable qu'on piège les castors pour leur peau, alors qu'ils rendent un fier service à la forêt. À chaque endroit où ils établissent un bassin d'eau, toute la nature en profite. Des tas d'animaux s'y rendent pour boire ou encore pour se nourrir, autant des herbivores que des carnivores. C'est bon pour nous autres, les trappeurs, parce qu'on peut attraper d'autres espèces que le castor, comme la belette, la loutre, le vison et les prédateurs qui les chassent comme le lynx, le coyote et le renard. Des peaux payantes aussi.

Il attendit un instant que tout ça entre bien dans ma caboche avant de continuer :

– En démolissant un barrage pour l'assécher, vous vous donnez bien du mal pour moins que rien, et vous vous faites du tort en même temps. Quand vous arriverez enfin à la hutte des castors, ils seront partis depuis longtemps. Vous n'aurez pas seulement perdu les castors, mais aussi toute cette belle faune qui dépend du plan d'eau pour sa survie. Ils iront ailleurs. Non, il vaut mieux ménager la chèvre et le chou en utilisant des pièges et en prenant quelques animaux par saison, mais pas trop pour ne pas nuire à la relève. La bonne nouvelle, j'ai remarqué dernièrement qu'une autre colonie de castors est en train de s'établir un peu plus loin, en amont.

Tout ça était dit en toute amitié, sans remontrance ni paternalisme. En fait, c'était comme s'il répétait à un grand ami les bienfaits qu'il avait constatés après plusieurs années à exercer le dur métier de trappeur. Il me parlait en homme et non comme au jeunot de treize ans que j'étais. J'appréciai beaucoup. Il se présenta : « Conrad Martin. » Je sentis immédiatement un lien avec cet homme que je connaissais à peine. Je crois que ce sentiment était partagé.

– La saison de la trappe est finie, me confia-t-il. Les peaux sont moins belles. Il vaut mieux laisser les castors en paix jusqu'à l'hiver prochain. Pourquoi vous ne venez pas faire le tour des pistes de trappe avec moi ? Vous pourrez m'aider à ramasser les pièges que j'ai placés un peu partout.

Demande à ton ami de nous accompagner. Plus on est de fous, mieux c'est.

J'hésitais. Je doutais que Luc-John veuille se présenter à Conrad. Je balbutiai quelque chose :

– Ah ! Y doit être parti depuis longtemps.

– Ben non ! Y est juste là, répondit Conrad, en pointant un buisson au loin dans le bois. Il nous regarde depuis que je suis arrivé. Dis-lui de sortir, je ne mords pas.

En effet, je distinguai l'ombre de Luc-John, tapi dans le sous-bois. Sentant la partie perdue, je criai :

– Eille ! Luc-John, Renard rapide, viens nous retrouver. Il a l'air d'un enragé, mais il ne mord pas !

Luc-John sortit du bois et s'approcha lentement, toujours aussi méfiant. Il ne réagit pas aux paroles ni aux gestes d'amitié de Conrad. Je commençais à trouver son attitude antipathique et vraiment frustrante.

– Salut. T'es de quelle tribu ? demanda Conrad.

Cette question innocente ne fit qu'aggraver la méfiance de Luc-John. À son regard inquiet, je vis qu'il était sur le point de s'enfuir. Son grand ami Castor l'avait bien averti de ne pas se fier aux Blancs. Renard rapide était sur le point de décamper quand Conrad lui dit quelque chose en amérindien. L'attitude de Luc-John changea du tout au tout. Il hocha la tête en guise de salutation, sourit, puis redevint l'être aimable que je connaissais.

« Que le Grand Esprit, Wacondah, veille sur toi. » Voilà les fameuses paroles qui métamorphosèrent Luc-John. En fait, c'était la seule phrase en amérindien que Conrad connaissait. À ces mots, Luc-John revoyait son grand-père accueillir amis et étrangers. « C'était comme s'il était là, m'avoua plus tard Luc-John. Il m'envoyait un signe que j'avais quelque chose à apprendre de cet homme blanc. »

Aider Conrad à relever les pièges fut une partie de plaisir. Tout le long, il en profita pour nous enseigner l'art de les placer, les précautions à prendre pour ne pas laisser de trace ni d'odeur humaine qui éveillerait la suspicion des animaux. Luc-John connaissait déjà presque tout ça, mais il semblait apprécier l'enthousiasme de Conrad et ajoutait, ici et là, quelques commentaires judicieux de son cru.

– Plus tu connais les habitudes des animaux, plus t'as de chance de les piéger, déclara Conrad. Par exemple, les castors vérifient l'état de leur barrage tous les jours. Ça fait partie de leur routine. On les aperçoit aussi en train de chercher de la nourriture. Ils mangent l'écorce intérieure des arbres et les plantes aquatiques de l'étang. Quand tu sais tout ça, t'es plus apte à placer les pièges aux endroits où les castors passent et, avec un peu de chance, à avoir une prise.

Et justement, dans le dernier piège, il y avait un jeune castor noyé. Conrad nous fit cadeau de la peau, mais il se réserva les glandes odorantes de l'animal, qui produisent le castoréum servant à marquer son territoire.

– On ne penserait pas qu'une huile puante comme le castoréum vaut de l'or, mais c'est bien le cas ! Je m'en sers pour masquer mon odeur et celle du métal des pièges, précisa Conrad. C'est tout aussi efficace pour leurrer les prédateurs du castor. Ça n'en prend pas beaucoup. Des fois, je vends les glandes séchées remplies de castoréum à des parfumeurs, pour un maudit bon prix.

Après avoir ramassé les pièges, on se rendit au campement de Conrad sur les rives de la rivière Blanche, où il avait une cabane en bois rond avec une sorte d'appentis sur le côté, pour entreposer les fourrures et tout son attirail de trappeur. Bâtie sur une butte, assez loin de la rivière pour éviter les inondations printanières, la cabane était à peine assez grande pour loger un lit, une table accrochée au mur et un petit poêle à bois : une vraie cellule de moine.

Conrad nous montra comment enlever la peau du castor et l'étirer sur un cadre pour la gratter. Pendant qu'on travaillait la peau, Conrad prépara le repas. Lorsque la bonne odeur du ragoût se répandit dans le camp, mon estomac se mit à chialer comme un effronté. J'avais une faim de loup. Luc-John cuisina la banique. Quel festin ! J'en bave encore. C'était la première fois que je mangeais du castor, une viande brune semblable à l'orignal et à l'ours, agréablement grasse et savoureuse... On dirait du bœuf avec un soupçon de sauvage. Pour finir, Conrad nous servit du thé, une décoction dorée, sucrée et très chaude, qui brûlait le fond de la gorge en descendant. Pendant le repas, Conrad s'enquit de notre histoire. Qu'est-ce que deux jeunes fabriquaient, seuls en forêt ? Je dois avouer que Renard rapide et moi fûmes peu loquaces. Devant notre gêne, Conrad comprit qu'il devait d'abord se confier. Dans le fond, je crois qu'il était content. Il déclara fièrement :

– Savez-vous que vous avez mangé avec un ancien millionnaire, le premier Canadien français à avoir possédé un somptueux manoir sur la pente du mont Royal, dans le Mille carré doré de Montréal, le fameux *Golden Square Mile* ?

Millionnaire, on avait compris, mais tout son charabia sur le *Golden Mile* nous passa par-dessus la tête. Devant nos regards vides, Conrad nota que son grand exploit de fierté nationale était passé inaperçu et qu'il gagnerait plus d'estime de notre part en s'expliquant un peu mieux.

– Avant d'être un grand trappeur barbu comme un homme des cavernes, croyez-le ou non, j'ai été un homme civilisé, chic et de bon goût. Notaire de profession, j'avais un cabinet dans l'est de Montréal. Vous auriez dû me voir à l'époque, sans barbe, les cheveux bien coupés, élégant dans mon habit trois pièces, coiffé d'un chapeau melon, une canne à pommeau dorée à la main et des chaussures bien cirées aux pieds. Je me prenais tellement au sérieux à l'époque que ce n'était pas drôle, sembla-t-il se reprocher, songeur. Je n'étais pas n'importe qui vous comprenez, ajouta-t-il en riant.

Se rappelant quelque chose, il se précipita dans sa cabane pour en ressortir quelques instants plus tard, sourire béat, portant fièrement un nœud papillon en soie jaune éclatant à motif marron. Il nous fit rire un bon coup. Satisfait de notre réaction, il continua son histoire.

– Comme notaire, il arrivait que des clients me demandent de placer leur argent. En retour d'une maigre commission, bon an mal an, je leur versais une petite ristourne sur leurs placements. Rien de spectaculaire, mais ils étaient contents. Ç'aurait pu continuer comme ça pendant longtemps, jusqu'au jour où un ami me parla de ses exploits en bourse. Curieux, j'ai tout lu sur le sujet. À la bourse, la spéculation allait bon train, il y avait des risques, mais tout le monde semblait faire de gros bénéfices. Je me suis dit que si je ne prenais pas de risque inutile, je devrais réussir aussi bien que les autres. Au début, j'ai commencé avec un peu de mon argent, et mes placements se sont mis à fructifier à vue d'œil. Puis petit à petit, j'augmentai les mises, et sans m'en rendre compte, je pris de plus gros risques. Et ça rapportait gros. C'était comme si je ne pouvais pas perdre. Tout allait si bien que je décidai d'en faire profiter mes clients, sans oublier qu'ils me verseraient une belle grosse commission en retour. Je m'empressai donc d'encaisser leurs dépôts à terme pour jouer à la bourse. Les clients étaient contents. Ils n'avaient jamais fait autant d'argent de leur vie. Mon succès attira de nouveaux clients encore plus fortunés. J'ai même encouragé toute ma parenté et mes amis à investir leurs épargnes, avec raison, car en moins d'un an mes avoirs avaient triplé. Ils ne pouvaient que s'enrichir, comme moi. Riche, je me promenais en grosse Bentley avec chauffeur et je m'étais même acheté une somptueuse résidence sur la pente du mont Royal, dans le quartier le plus luxueux de Montréal, le fameux *Golden Square Mile*.

Conrad s'arrêta de parler, s'attendant cette fois-ci à une réaction de notre part. Il parut déçu, puis se résolut à continuer son histoire.

– Je ne sais pas si vous le savez, mais il s'agissait là d'un petit miracle en soi. Car le fameux Mille carré doré était un club privé très *english*, où les petits Canadiens français, les Juifs et tous les autres parvenus n'étaient pas admis. Ça ne se pouvait tout simplement pas. Par un curieux hasard, dit-il en riant, j'avais le même nom qu'un dénommé Sir Jacob Conrad Martin, un richissime homme d'affaires de bonne famille britannique. Comme de raison, il y eut confusion. On crut vendre une maison au richissime, alors qu'on vendait au petit *Pea Soup*[1]. Quel scandale lorsqu'on apprit la maldonne ! Mais, le mal était fait, les documents notariés, signés et la vente de la maison, complétée. Malgré tous les efforts de la haute société pour annuler la transaction, rien n'y fit. J'étais là pour rester, au grand dam de l'*establishment.*

Conrad se tut, défit son nœud papillon, parut troublé par ce qui lui était arrivé.

– Ma victoire fut cependant de courte durée. Le krach boursier est arrivé. Ce qui valait des millions de dollars la veille ne valait plus une cenne le lendemain. En l'espace d'une nuit, ma fortune et celles de tous mes clients avaient disparu. J'étais ruiné. Mes clients me réclamaient l'argent que je n'avais plus. Mes amis me traitaient de voleur. J'étais un paria. La pire tragédie de tout ça était d'avoir perdu le bas de laine que mon père avait péniblement amassé pour ses vieux jours. Au final, il ne restait plus grand-chose. J'ai vendu ma Bentley pour une fraction de sa valeur. Avec l'argent, j'ai acheté du matériel de piégeage et je suis parti dans le Nord me faire oublier. De notaire millionnaire je suis devenu trappeur solitaire, métier que j'avais connu plus jeune sur la ferme de mon père. Ça fait dix ans déjà que je fais ça. Chaque été, je

1. Vers la fin du XIXe siècle, les Anglais surnommaient les Canadiens français les *Pea Soup* parce qu'ils pouvaient travailler toute la journée en ne mangeant que de la soupe aux pois. Les anglophones associent d'ailleurs ce type de soupe à la culture canadienne-française. *Pea Soup* a souvent eu une connotation péjorative. (Voir : *Trésor de la langue française au Québec.*)

retourne à la ferme familiale remettre une partie de mes gains à mon père. Avec le temps, j'ai réussi à le rembourser au complet. Pour les autres, je prie qu'ils m'oublient, mais je sais très bien que les gens ont la mémoire longue lorsqu'il s'agit d'argent.

À la fin de la journée, en retournant à la maison, tout heureux, je n'arrêtai pas de parler de notre nouvel ami. Luc-John demeura morose, l'air soucieux.

CHAPITRE 13

Le poste de traite

En cette fin de juin 1940, l'armée d'Hitler balayait tout sur son passage dans une Europe dévastée par la guerre. Depuis qu'il avait renfloué les coffres de son père, Conrad voulait passer à autre chose. Soldat lui parut un métier comme un autre.

– Bien franchement, ma vie de trappeur est finie. Je piégerai une autre sorte d'animal, c'est tout, se contenta-t-il de nous dire.

Ses nombreuses prises de bec avec le vieux Tom, ce trappeur malfaisant qui lorgnait son territoire depuis des années, l'avaient laissé amer.

– Laisserai jamais rien à ce crisse-là, avait-il juré.

C'est pourquoi il passa autant de temps à nous montrer les limites de son territoire. Il en profitait pour nous enseigner ses méthodes de piégeage. Encore plus important, il nous dévoila ses recettes pour préparer des leurres odorants, ces parfums charognards qui attirent les prédateurs à la peau soyeuse.

– L'essentiel est de se servir du bon appât au bon endroit. Par exemple, la chair ou l'huile de poisson a plus d'attrait pour le renard, le loup et l'ours près d'un lac ou d'un cours d'eau, la chair de rat musqué convient mieux près d'une hutte de cet animal et ainsi de suite. Tiens, renifle ça, dit-il tout excité, en ouvrant une boîte métallique d'où explosa une odeur de bête puante en décomposition. Il rit de bon cœur en voyant ma grimace. Avec ça, je te garantis une prise à tous les coups. L'hiver, t'ajoutes un peu d'alcool pour ne pas que ça gèle. Quand c'est gelé, ça sent moins fort, puis ce n'est pas aussi bon, précisa-t-il en me montrant l'intérieur de la boîte.

Des morceaux de mouffette en putréfaction macéraient dans leur jus avec un peu d'huile d'anis. L'odeur me coupa le souffle. J'en eus des larmes aux yeux et me mis à douter de ma capacité d'exercer le métier de trappeur, tellement ça me rebutait.

– Tu vas voir, après un bout de temps, tu ne le sentiras même plus, me rassura-t-il.

Conrad referma la boîte d'odeur infernale et saisit une grosse bouteille sur l'étagère.

– Un autre truc pour masquer les pièges, c'est de prendre ça.

– Ouvre-la pas! lui criai-je, convaincu que mon nez ne supporterait pas un autre assaut.

– Inquiète-toi pas, ce n'est pas prêt. Je dois encore laisser reposer la mixture au soleil quelques jours pour qu'elle se transforme en huile de poisson au parfum exquis, ajouta-t-il en s'embrassant le bout des doigts, dans un geste de pur délice culinaire.

Je le regardai inquiet et pas du tout convaincu qu'on avait la même définition du mot exquis.

– C'est facile à faire, continua-t-il. Tu mets de gros morceaux de poisson dans une bouteille en verre, tu refermes bien, puis tu l'accroches bien haut dans un arbre, en plein soleil et hors de portée des animaux. Ils ont le nez fin et cette potion les attire des kilomètres à la ronde.

Il donna un bon coup sur le bouchon de liège pour s'assurer qu'il était bien enfoncé. Puis, il me montra fièrement le bocal en pointant du doigt l'huile orangée flottant en surface. « Ça doit être l'essence de parfum exquis », me dis-je, avec un frisson.

– À vrai dire, le poisson sous toutes ses formes – frais, fumé, déshydraté, pourri ou en huile – sert d'appât extraordinaire autant pour le renard que le loup ou l'ours.

Remettant la bouteille sur l'étagère, il s'empara d'une petite boîte métallique, qu'il ouvrit d'un coup sec. Une odeur moins répugnante emplit la pièce.

– Ça, c'est de la poudre de poisson fumé, déclara-t-il. Certaines années, les souris mangent les appâts sans en laisser la moindre miette. Quand t'as une centaine de pièges répartis sur un grand territoire, impossible de veiller au grain. Après plusieurs essais, j'ai découvert que cette substance agissait comme un appât. Ainsi saupoudré, le piège garde son attrait appétissant, alors que les particules de poudre sont trop fines pour intéresser les souris. Problème résolu !

Il fronça les sourcils en essayant de se rappeler s'il n'avait pas oublié quelque chose.

– Un dernier conseil, variez vos leurres. Certains trappeurs ne jurent que par un type d'appât à l'odeur écœurante. Ils ne se servent de rien d'autre. Honnêtement, je peux dire quel trappeur est passé sur la piste, simplement au pif. Si je peux faire ça, alors imagine un animal. Il me semble que ça ne prend pas la tête à Papineau pour comprendre ça, et pourtant…, commenta-t-il en faisant une moue de mépris.

Conrad me fit penser à un petit garçon tout excité de dévoiler sa collection de jouets et de potions magiques. Tous ses précieux secrets appris avec les années, il les partageait généreusement. J'adorais tout, tout, tout ce que j'entendais ! À l'écouter, il aimait toujours ce métier pour le défi qu'il posait. Avec le temps, il avait acquis un profond respect pour les animaux qu'il piégeait.

– N'oublie jamais que tu finasses avec des fins finauds, répétait-il souvent. Si tu penses les animaux bêtes et stupides, alors tu m'apparais plus bête qu'eux et le métier de trappeur n'est certainement pas pour toi.

Le cours intensif sur le piégeage se poursuivit le reste du mois et aurait pu être plus agréable, n'eût été l'attitude de Luc-John. Il me parut distant, toujours à la traîne ou distrait, pas intéressé ou indifférent. Des journées, il préférait rester seul à la ferme plutôt que de nous accompagner dans nos périples en forêt. Tellement captivé par mon nouvel intérêt, je n'entendais plus ses quintes de toux qui pourtant s'aggravaient de jour en jour. Sa maladie le consumait sans que je m'aperçoive de quoi que ce soit. À ma seule défense, il ne se comportait pas comme un malade. Il donnait l'impression de pouvoir abattre le travail de deux hommes sans broncher, rapidement, apparemment sans effort et sans la moindre goutte de sueur. Insouciant, je passais de plus en plus de temps avec Conrad, laissant Luc-John à sa petite misère.

En fait, Conrad fut le premier à remarquer que quelque chose n'allait pas. Fier-pet comme il était, Luc-John nia vigoureusement.

– Bien, voyons ! De quoi tu parles, ça va bien, déclara-t-il sans hésitation, alors qu'il s'efforçait de refouler un autre accès de toux.

Dans les faits, mon meilleur ami se mourait et j'étais trop bête pour m'en apercevoir.

* *
*

Enfin, une fois le territoire de Conrad parcouru je ne sais combien de fois, vint le temps de remonter la rivière Blanche jusqu'au poste de traite de fourrures. Luc-John préféra rester au camp de Conrad, il ne suivait pas comme à son habitude. On mit les peaux dans un seul canot.

– Taboire ! Une peau de plus, puis on va avironner sous l'eau jusque-là, s'inquiéta Conrad, en regardant la ligne de flottaison qui frôlait dangereusement le bord de l'embarcation.

Le voyage se fit sans incident pour remonter la rivière, moi devant et Conrad dirigeant à l'arrière. Arrivés au lac Petit, énorme en dépit de son nom, nous devions ramer sans cesse tellement les vagues étaient gonflées par le vent. Heureusement, Conrad savait comment éviter d'inonder le canot.

Situé à la rencontre des lacs Petit et Grand, le poste de traite était composé de deux bâtiments, l'un en bois rond et l'autre, plus vaste, en planches. La cabane servait au commerce et à l'entreposage des fourrures. En face, l'immeuble logeait le marchand de fourrure et sa famille au premier étage alors que le rez-de-chaussée abritait l'auberge, le magasin général, le salon de barbier et les bains publics. La spécialité de la maison était le cidre épicé, servi chaud dans de grandes chopes en terre cuite, une boisson apparemment innocente, mais qui montait à la tête et coupait les jambes assez vite. Avant même de mettre les pieds à l'auberge, Conrad m'avait averti d'y aller mollo sur le cidre, sinon le retour serait pénible.

Dans le grand bâtiment, une jolie jeune femme nous accueillit avec un beau sourire, de toute évidence heureuse de revoir Conrad.

– Ah ben ! Ah ben ! Regardez donc ce que le beau temps nous amène !

– Rémi, tu devrais aller au poste de traite pendant que j'organise mes affaires, insista Conrad, pressé d'échanger quelques politesses avec la demoiselle avant de passer aux choses sérieuses. Je te rejoindrai plus tard.

En entrant dans la cabane, j'eus l'impression de pénétrer dans la caverne d'Ali Baba, riche en belles fourrures soyeuses. Il y en avait des centaines de toutes les sortes, suspendues au plafond et accrochées aux murs. Le commerçant, un homme immense, chauve, bedonnant, au visage basané et marqué par la petite vérole, attendait derrière une grande table éclairée par la seule fenêtre de la place.

– Bonjour, Armand Desrosiers à votre service. T'es un nouveau toi ?

– Oui, Rémi Chartier, répondis-je un peu nerveusement.

J'aurais bien aimé que Conrad soit là pour les présentations, mais bon, la gent féminine l'occupait. Desrosiers sembla chercher dans le fond de sa caboche s'il n'avait pas connu, à un moment donné, un Chartier dans les environs. Mais non.

– Tu trappes dans quel coin ?

– En bas de la rivière Blanche près de la chute.

– Sur le territoire de Conrad ?

– Non, je trappe autour de la ferme jusqu'à la chute. Tout le reste appartient à Conrad.

– Pis Conrad accepte ça ? demanda-t-il, d'un air incrédule.

– Ben, oui, dis-je, surpris à mon tour par sa question.

Il haussa les épaules.

– Eh bien ! Mon Rémi, montre-moi donc ce que t'as apporté.

Je mis le lot de fourrures sur la table. Il les examina une à une, minutieusement, en marmonnant comme si je n'étais pas là. Ses commentaires me parvenaient, à peine audibles, par-ci par-là. « Ah ! Il y a une marque de couteau ici. Celle-là a un trou de balle. » Je voyais mal comment une des peaux pouvait avoir été abîmée par une balle alors qu'on ne s'était servi d'aucune arme à feu. Lorsque je voulus protester, il répliqua, contrarié :

– Laisse-moi le temps de compléter mon examen, après on discutera.

Et il continua son petit manège.

Sur les entrefaites, Conrad entra avec ses peaux. Après de brèves salutations, le commerçant retourna à l'inspection de mes fourrures. À la fin, il me regarda d'un air interrogateur, le regard désappointé.

– Puis qu'est-ce que tu veux que je fasse avec ça ?

– Bien, les acheter, c't'affaire !

Le commerçant grimaça.

– Ouais, mais tes peaux ont des marques de couteau, puis y en a une qui a même un trou de balle. Ce n'est pas fameux, ce n'est pas fameux, laisse-moi te le dire.

Après un silence, il finit par ajouter :

– Écoute, vingt-cinq piastres pour le lot. Tu fais une maudite bonne affaire. Honnêtement, je ne suis même pas sûr que les fourreurs de Montréal veuillent acheter ça. J'ai bien peur de rester pris avec ça.

Un peu plus et il me demandait de le payer pour prendre mes fourrures. Il sortit des billets de banque d'une petite caisse et les compta à voix haute en les faisant claquer, cherchant à m'impressionner. À mon allure et à mes vêtements élimés, Desrosiers estimait que vingt-cinq dollars représentaient une petite fortune pour moi. Il me considéra avec les yeux d'un prédateur s'amusant avec sa proie avant de la bouffer. Je voyais bien, à son petit sourire en coin, que pour lui, la partie était gagnée. J'étais complètement bouleversé. La somme ne paierait même pas le tiers des articles sur la liste de Luc-John. J'avais la gorge tellement serrée que je ne pouvais plus parler. Conrad intervint à ce moment-là.

– Coudon, Armand, tu fais des farces. Ces peaux-là valent bien plus que vingt-cinq piastres. À elle seule, la fourrure de castor vaut au moins ça.

– Mais j'dis rien que la vérité, répliqua le commerçant, offensé. Les peaux sont marquées de coups de couteau et y en a même une qui a un trou de balle. Je lui fais une faveur en lui donnant vingt-cinq piastres pour s'en débarrasser.

Desrosiers comprit son erreur en voyant Conrad s'approcher pour examiner les peaux à son tour. Le marchand lui fit de gros yeux pour qu'il s'abstienne d'intervenir dans une transaction qui ne le concernait pas. Conrad ne porta aucune attention à ses mimiques et continua son examen. Le plan du commerçant de profiter de la naïveté du petit nouveau n'allait pas bien. De toute sa clientèle, Conrad était le seul trappeur à prendre la peine de se renseigner sur l'état du marché avant de mettre les pieds dans son établissement. Il ne savait pas où Conrad prenait l'information, mais elle était toujours juste. Il connaissait les peaux les plus à la mode et pour lesquelles il pouvait exiger le prix fort. Les négociations étaient toujours âpres et longues avec lui. Au bout du compte, tout le monde se montrait heureux du résultat, et c'est ce qu'il aimait en marchandant avec Conrad. Mais là, il ne fallait pas qu'il se fourre le nez dans ce qui ne le regardait pas.

– Où est-ce que tu vois des coups de couteau ?

– Mais... Là !

– Ça ? Mais, c'est rien pour nuire à la valeur de la peau. Quel trou de balle ? Franchement, Armand, si tu commences à traiter les trappeurs de cette façon, je prends mes peaux, puis je vais voir les fourreurs à Montréal. Je te garantis que j'obtiendrai un bien meilleur prix que ta meilleure offre icitte aujourd'hui.

En effet, Armand se rappelait l'année où, insatisfait du prix offert, Conrad était parti vendre ses peaux à Montréal. Desrosiers avait perdu gros cette année-là, pour un différend de quelques dollars. Il s'en était amèrement voulu et s'était promis de ne jamais plus répéter cette erreur. Il avait été soulagé de voir Conrad revenir l'année suivante.

Desrosiers ignorait cependant que l'expérience de Conrad à Montréal avait frôlé la catastrophe. Oui, il avait négocié un très bon prix, le double de ce que Desrosiers lui avait offert. Par contre, en quittant l'entrepôt du fourreur, Conrad avait cru apercevoir un de ses anciens clients, en mal d'argent. Il avait pu s'esquiver sans être vu, mais peu s'en était fallu. Pour Conrad, venir à Montréal ne valait pas l'embarras d'être reconnu, même pour tout l'argent au monde.

Devant les objections de Conrad, Armand reprit les peaux brusquement.

– Laisse-moi les regarder à nouveau, maugréa-t-il à contrecœur. J'ai peut-être été un peu vite dans mes affaires.

Armand sortit un petit calepin et se mit à faire de savants calculs, hors de notre vue. Il se grattait le menton d'un air pensif, retournait les fourrures à nouveau, reprenait ses calculs. Il hésitait à nous faire part de sa décision, craignant d'offenser Conrad avec une offre trop basse ou pire, de m'offrir bien trop. Finalement, il se lança :

– Cent piastres pour le lot.

J'eus envie de sauter de joie. Luc-John et moi n'en avions jamais espéré autant. Le visage de marbre de Conrad tempéra cependant mon enthousiasme. Je vis à son regard qu'il espérait que je sois aussi impassible que lui, le temps des négociations. Pour sa part, Desrosiers avait tout remarqué et savait qu'il était sur la bonne voie. Il ajouta, pour conclure :

– Cent piastres et dix pour cent de réduction sur tout ce que tu achèteras au magasin général, à l'auberge, au salon de barbier et aux bains publics.

Je regardai Conrad d'un air suppliant, tellement j'avais envie de dire oui et de partir avant que Desrosiers change d'idée. Conrad resta silencieux un bon bout de temps avant de faire une contre-offre.

– Cent piastres et vingt-cinq pour cent !

– Vingt-cinq pour cent ! Ce que tu demandes là n'a pas de maudit bon sens. Je vends déjà à perte comme c'est là, sans compter le dix pour cent de réduction. Je suis aussi bien de fermer boutique ! Je vais crever de faim, puis toute ma famille avec.

Les cris et les plaintes du commerçant laissèrent Conrad de glace. Il les connaissait déjà et semblait s'en amuser.

– Je ne suis pas en peine pour toi puis ta famille. Ce que tu perds d'un côté, tu le reprends toujours en double de l'autre. Sans parler des profits que tu vas faire avec la vente des fourrures à Montréal.

Desrosiers fit une moue excédée et pensa longuement à son affaire. Conrad s'impatienta.

– Rémi ramasse tes affaires, on s'en va à Montréal !

Ces paroles me jetèrent en état de choc. « Bien, voyons, pensai-je, que se passe-t-il ? Les négociations étaient sur le point d'aboutir, et voilà que je m'en vais à Montréal ! » Heureusement, Desrosiers renchérit en espérant que ce soit suffisant.

– Cent piastres et quinze pour cent. C'est à prendre ou à laisser.

Sans attendre la réponse de Conrad, je criai :

– Marché conclu !

Les deux hommes prirent soudainement conscience que j'étais là et qu'il s'agissait de mes affaires. Sans plus tarder, je serrai la main d'Armand pour sceller l'entente. Malgré tout, Conrad n'avait pas l'air trop mécontent du résultat.

– Tiens, présente ça au magasin général. Tu pourras acheter tout ce que tu veux à quinze pour cent de rabais, dit Desrosiers en me remettant un billet.

Conrad étala son lot de fourrures sur la table. Le vrai marchandage était sur le point de commencer. Soucieux, Armand se prépara mentalement à jouer dur. Je remarquai que Conrad savourait déjà le match à venir.

– Attends-moi pas, Rémi. Va faire tes achats. Ça va me prendre un p'tit bout de temps avec ce monsieur-là, dit Conrad en pointant son vieil ami du doigt.

* *
*

On trouvait de tout au magasin général : des vêtements, des bottes, des tissus, des outils, des armes à feu, de la nourriture, des épices et même la fameuse sauce Worcestershire de Lea & Perrins, By Appointment to His Majesty the King[1]. Après avoir tout acheté sur la liste de Luc-John, selon les quantités recommandées par Conrad, j'avais ramassé une vraie montagne de marchandises. Le canot serait aussi chargé qu'à notre arrivée. Il me resta assez d'argent pour me procurer des bottes et des vêtements d'hiver bien chauds ainsi que quelques chemises et des pantalons, en remplacement des loques que Luc-John et moi avions sur le dos. Avec les derniers sous, je pus m'offrir

1. Distinction accordée au fournisseur officiel de Sa Majesté, le roi d'Angleterre.

un bon bain chaud, suivi d'une chope de cidre. J'avoue que l'aubergiste ne fut pas très regardant quant à mon âge, sans doute que mon nouveau statut de trappeur m'accordait certains privilèges. Je me sentis heureux dans mes vêtements neufs et en fête, une chope à la main.

En attendant le retour de Conrad, je m'assis sur la grande galerie, devant le magasin, pour nettoyer la vieille carabine de mon père trouvée à la ferme. Je l'avais apportée avec l'intention d'acheter des munitions de bon calibre. Ayant été mal entreposée, l'arme était attaquée par la corrosion. En nettoyant le canon, je remarquai qu'en plus il était légèrement tordu. Comme je n'avais plus d'argent pour acheter un autre fusil, je résolus de le retaper de mon mieux. Avec un peu de chance, l'arme ne m'éclaterait pas au visage.

Concentré sur mon travail, je ne vis pas Conrad approcher. En relevant la tête, je n'en crus pas mes yeux. Il s'était fait couper les cheveux et raser la barbe, pour ne laisser qu'une belle grande moustache en guidon, aux pointes cirées. Il portait une casquette, une veste et un pantalon rayé brun-roux sur fond beige, en laine cardée, ainsi que de longues bottes de chasse noires, bien astiquées, montant aux genoux. J'avais devant moi un gentleman anglais fraîchement sorti du moule. Je n'en revenais pas. Il sourit, satisfait de ma réaction.

– J'avais commandé ces vêtements, il y a belle lurette. Je suis bien content qu'Armand les ait reçus à temps.

En me voyant frotter la vieille carabine de mon père, il m'enguirlanda vertement :

– Tu joues encore avec ça. Je t'ai dit que tu vas te tuer ! Tiens, prends ma carabine, puis jette-moi celle-là avant qu'il t'arrive malheur.

Ravi, je m'émerveillai d'avoir une si belle arme entre les mains : une carabine Winchester à répétition, modèle 1895 à chargeur fixe, une vraie merveille. Le canon à rayures poli lui donnait un fini brillant, d'un bleu noir profond. La crosse et l'avant-bras en noyer étaient bien lustrés. À trois kilos, elle pesait, mais moins que l'antiquité de mon père. On ne pouvait pas demander mieux pour la chasse. Je mis l'arme en joue, visant çà et là des cibles imaginaires.

– Mais toi, qu'est-ce que tu vas faire sans ta carabine ?

– Dans l'armée, ils vont m'en donner une toute neuve. Garde celle-là, entretiens-la bien pour moi. Si jamais je reviens, tu me la redonneras, mais bien franchement, je doute de jamais revenir à cette vie-là. Aussi bien dire que je t'en fais cadeau. Ma période de trappeur est bien finie, et c'est sans regret. Sais-tu ce qui va me manquer ? Ce beau paysage-là, soupira-t-il en regardant le lac, la forêt et la montagne au loin.

Je n'écoutais plus vraiment, tellement j'étais captivé par mon nouveau jouet. Il me donna une tape sur l'épaule, pour s'assurer de retenir mon attention :

– Il y a une chose que tu dois me promettre. Tu dois la nettoyer immédiatement après ta journée de chasse. N'attends pas, tu comprends. Je ne veux pas revenir, puis retrouver le canon de ma carabine tout encrassé et crochi.

– Fais-toi-z-en pas. Je vais en prendre soin comme de la prunelle de mes yeux. Es-tu bien certain de ton affaire ?

– Oh oui ! Bien certain et bien confiant aussi de laisser ma carabine entre bonnes mains.

On passa la nuit à la belle étoile. La fraîcheur du lac était plus agréable que la chaleur suffocante de l'auberge, même les fenêtres grandes ouvertes. Avant de sombrer dans le sommeil à mes côtés, Conrad m'égaya par ses descriptions de Montréal, les longues avenues remplies de centaines d'automobiles circulant à toute vitesse et les milliers de gens tout aussi pressés. J'avais vu, à l'occasion, des automobiles traverser le village, mais j'eus du mal à m'imaginer des centaines de ces engins klaxonnant et filant à vive allure, dans toutes les directions. Heureux de ma journée, je m'endormis en pensant à la réaction de Luc-John.

CHAPITRE 14

La chasse

Le retour en canot s'effectua rapidement le lendemain. Vent de dos, j'avais l'impression de voler à la surface de l'eau. Luc-John nous attendait au campement de Conrad, étendu sur un gros rocher près de la rive, à se dorer sous un soleil régénérateur. Il semblait en pleine forme. J'étais tout excité de lui montrer mes achats et, en particulier, la carabine de Conrad. Fou comme un balai, il allait d'un paquet à l'autre, s'arrêtant à quelques reprises pour caresser la carabine. L'expression de joie sur son visage me parut sublime. Il n'en revenait pas que j'aie négocié cent dollars pour les peaux. Spontanément, je précisai :

– Sans Conrad, on n'aurait presque rien eu.

Je lui contai l'intervention de notre ami et la peine que j'avais eue à garder mon sang-froid. Luc-John remercia Conrad d'un large sourire. Le voir aussi heureux me réchauffa le cœur. On avait trimé dur tous les deux pour se payer tout ça. Sans attendre, il mit ses vêtements neufs. Il flottait dedans. Qu'ils soient trop grands pour lui ne tempéra pas sa joie pour autant. Un bref instant, je remarquai son extrême maigreur, mais je refusai d'admettre que quelque chose n'allait pas, mais pas du tout.

Dans cette atmosphère de fête, Luc-John nous servit de la sagamité, à laquelle il avait ajouté une barbotte pêchée le matin même. Tout à fait délicieux. Rien, sauf les arêtes, ne dérangeait notre appétit. Après le repas, Conrad nous annonça qu'il partirait le lendemain pour Saint-Pascal, où il passerait la nuit afin de prendre le train de six heures du matin pour Montréal. Il ramassa les quelques affaires qu'il voulait apporter et nous laissa le reste en cadeau. Tout un trésor : des pièges, une tente, des haches, des couteaux de chasse, des raquettes, un canot et j'en passe. En fait, de tout son attirail, il n'emporta que sa collection de livres de Jules Verne et la photo d'une dame dont il ne nous avait jamais parlé.

Le matin, nous partîmes pour Saint-Pascal en canot. Luc-John s'assit au milieu et se laissa porter. Au village, nos adieux furent brefs, trop brefs à mon goût. Conrad était pressé de commencer sa nouvelle vie de militaire. En le voyant partir, je savais que je m'ennuierais de lui. Je perdais plus qu'un ami. Il représentait le grand frère que je n'avais jamais eu. L'envie me prit de le suivre dans sa folle aventure, mais j'étais bien trop jeune pour m'enrôler dans l'armée. Le retour au camp de trappe fut difficile. Un bon vent de face nous força à redoubler notre cadence. Luc-John eut du mal à pagayer au même rythme que moi. Il était tout en sueur et complètement épuisé quand nous atteignîmes le domaine de Conrad.

Sans vraiment donner le temps à Luc-John de se remettre du voyage en canot, je préparai deux gros sacs à dos. Ce ne fut peut-être pas ma meilleure idée de la journée. Toujours est-il que j'étais excité et que j'avais hâte d'apporter tous mes achats à la ferme, y compris les articles laissés par Conrad. Une fois les courroies ajustées, la charge me sembla endurable. Il était déjà tard dans l'après-midi. Un long trajet à travers la forêt nous attendait, un parcours qu'on avait fait à plusieurs reprises sans difficulté et parfois, en portant tout aussi lourd.

– On reviendra demain pour le reste, dis-je. Si l'on se dépêche, on devrait arriver avant la tombée de la nuit.

Pendant nos randonnées en forêt, je suivais généralement Luc-John qui savait s'orienter et m'amener à bon port. En marchant, j'avais la mauvaise habitude de regarder à mes pieds, pour éviter les branches mortes, les racines ou les pierres qui risquaient de m'enfarger. Pendant ce temps, le paysage autour de moi se modifiait sans que j'en prenne connaissance. Inévitablement, en relevant la tête, j'étais perdu. Quel exploit pour le grand trappeur que je voulais devenir !

Luc-John m'apprit que je devais non seulement regarder où je mettais les pieds, mais aussi remarquer les points saillants du paysage autour de moi, comme l'essence et la grosseur des arbres, un ruisseau, une crête rocheuse ou la forme bizarre d'un rocher. En les prenant en note, je retiendrais plus facilement une image photographique des lieux.

– La plupart des gens se perdent en forêt parce qu'ils ne prennent pas la peine d'observer le paysage derrière eux pour enregistrer le chemin du retour, m'expliqua Luc-John.

Cette fois-ci, je m'évertuais à suivre ses conseils à la lettre. Je regardais attentivement en avant, à droite, à gauche et en arrière. Nous avions atteint le haut d'une crête recouverte de pins sans que je remarque quoi que ce soit de particulier, juste une butte de conifères comme tant d'autres. Puis, j'aperçus un tas de vieilles branches entrelacées au sommet d'un des arbres. Un nid d'aigle ! Un bon repère. Content de ma trouvaille, je savais que je pourrais facilement le retrouver à mon prochain passage.

Préoccupé dans mon petit monde, je ne vis pas Luc-John fléchir sous le poids de son fardeau. À un moment donné, il s'effondra, presque inconscient, blanc comme un drap, la respiration saccadée et le souffle coupé d'une toux rauque. On était à mi-chemin de la ferme. Il n'était plus en état de poursuivre sa route, même sans charge. Je devais le transporter ou le soutenir pour qu'il puisse avancer. Avant de repartir, j'accrochai nos sacs à une haute branche, hors de portée des animaux.

Même avec mon aide, Luc-John avançait péniblement. De longues quintes de toux lui arrachaient du sang des poumons. Il devait s'arrêter souvent pour reprendre des forces. Bouleversé, j'oubliai de noter mes repères. Il faisait noir en arrivant à la maison. Luc-John allait mieux, mais j'insistai pour qu'il se repose. Sa respiration était toujours laborieuse. Je m'empressai de préparer sa fameuse potion magique pour le remettre d'aplomb. Il but goulument cette infusion de bouts de branches pilées de cèdre et d'écorce de bouleau qui avait le don de soulager sa toux chronique et de réduire sa fièvre. Le matin, je cueillis des feuilles d'ortie dans le sous-bois près de la rivière.

Selon Luc-John, l'ortie agissait comme protecteur pulmonaire. En tisane, cette plante recouverte de poils raides et piquants revitalisait tout le corps, remontait le moral et donnait de l'énergie, sans nuire au sommeil nocturne. Le parfum d'artichaut ou de pomme de terre qu'elle dégageait ne séduisait pas instantanément le palais, mais on finissait par apprécier son arôme puissant. En fait, Luc-John ajoutait des graines d'ortie à tous nos plats : la sagamité, la banique, les boulettes de pemmican, etc. Il insistait pour que je suive le même régime que lui, afin d'anéantir le moindre symptôme de grippe. Dans le cas de Luc-John, ces décoctions ainsi que les graines d'ortie apaisaient, mais ne parvenaient pas à guérir son mal.

Le lendemain, Luc-John demeurait très faible, mais je pus le laisser pour retourner chercher les sacs à dos laissés dans la forêt. J'eus beau scruter le haut des arbres à l'endroit où il s'était effondré, je ne trouvais plus les sacs. « Bien, voyons ! Misère, comment j'ai fait pour perdre ça ? » marmonnai-je, déconcerté.

Je montai au camp de Conrad en cherchant de tous les côtés. Rien. De là, je refis exactement le même trajet que la veille avec Luc-John. Là où il s'était affaissé, je cherchai à nouveau. Toujours rien. La détresse me gagna. On avait mis dans les sacs les articles essentiels pour passer l'hiver, et voilà qu'ils avaient disparu. Je me demandais si quelqu'un ne les avait pas volés. Le vieux Tom peut-être ? Un animal ? Dans ce dernier cas, j'aurais sûrement trouvé les sacs éventrés. Je retournai au camp de Conrad pour continuer à transporter le reste des provisions à la ferme et je m'efforçai de refaire exactement le chemin parcouru la veille. TOUJOURS RIEN ! C'était désespérant.

J'insistai pour tout ramener seul. La consigne : repos complet pour Luc-John, qu'il le veuille ou non. Après plusieurs allers-retours, j'avais tout rapporté. À chaque voyage, je poursuivais mes recherches, sans succès, comme s'ils n'avaient jamais existé. Luc-John n'y comprenait rien lui non plus.

* *
*

L'automne approchait à grands pas et le temps des récoltes aussi. Enthousiasmé, Luc-John se sentit assez d'aplomb pour m'aider à déterrer les pommes de terre.

– Non, mon *chum*. Tu vas rester en dedans jusqu'à ce que tu commences à engraisser un peu.

– J'peux au moins t'accompagner. L'air frais me fera du bien.

Comment m'y objecter ? Il me suivit au champ où, à l'aide de la fourche-bêche, je remontai les tubercules à la surface. Tout excité, Luc-John se précipita pour ramasser les patates sorties de terre et les jeter en petits tas.

– Regarde-moi celle-là, cria-t-il, tout émerveillé, en me montrant une pomme de terre de la grosseur de sa main.

Il était tellement heureux que je n'eus pas le courage de l'arrêter. Au bout du compte, à la fin de la journée, il avait abattu presque autant de travail que moi. L'air frais et le soleil l'avaient revivifié. Il avait de belles joues rouges et les yeux pétillants en regardant la récolte. Les patates étaient plutôt petites, mais belles et en quantité suffisante. C'était bon d'en manger à nouveau. Luc-John m'aida le lendemain à ramasser le reste. Les haricots furent écossés, séchés et mis au garde-manger. On passa une bonne partie de l'automne à cueillir des fruits sauvages. Les pommes et les prunes marquées par les vers étaient nettoyées, puis déshydratées ou transformées en confiture. Les fruits et les légumes nous donnèrent de quoi constituer un bel acompte pour affronter l'hiver, qui se manifestait déjà par des gelées et du frimas le matin. On constitua en plus une bonne réserve de poisson fumé. Une seule chose manquait : la viande. Luc-John me parla alors de chasser le gros gibier.

– Un orignal nous donnerait environ deux cents kilos de viande, assez pour passer l'hiver grassement. Mais c'est tout un bétail à abattre. Il n'hésitera pas à charger si jamais on manque la cible. Ça fait peur à voir, laisse-moi te le dire.

Malgré moi, j'eus un petit frisson en pensant à mon aventure avec le taureau du vieux Chamberland et me demandai si la charge à fond de train d'un orignal panaché serait pire. Sans doute, pensai-je, ce qui ne m'empêcha pas de fanfaronner.

– Avec ça, pas de problème, dis-je, en caressant la carabine de Conrad.

– Ouais ! grogna Luc-John, un doute dans les yeux. Même aussi gros qu'un cheval, un mâle adulte panaché peut se déplacer dans la forêt presque aussi silencieusement qu'un chat. Un orignal menacé et agressif peut foncer sur toi sans prévenir. Dans ce cas-là, la meilleure carabine au monde ne servira pas à grand-chose. Il vaut mieux nous tenir sur nos gardes en tout temps. On n'a qu'un seul avantage : la bête n'a pas une bonne vue. D'un autre côté, ses sens de l'ouïe et de l'odorat lui permettent de repérer une menace de loin. Donc, il faut jouer avec ça.

Luc-John réfléchit un instant avant d'ajouter :

– D'après mon père, une journée de pluie ou de fort vent favorable constitue le moment idéal pour le chasser. L'un ou l'autre de ces éléments étouffe le bruit et dissipe l'odeur humaine. Rien de plus désastreux qu'un vent capricieux, changeant de direction à tout instant. Mon père avait aussi remarqué qu'à la fin de son parcours, avant de s'étendre pour se reposer, l'orignal avançait ordinairement contre le vent pendant un certain temps, puis revenait en arrière en traçant un demi-cercle. De cette façon, les prédateurs sur sa piste arrivaient dans le sens du vent. Même le chasseur le plus habile ne parvenait pas à portée de fusil sans que l'orignal l'ait déjà entendu ou senti, et qu'il se soit enfui. Il faut plutôt l'attendre à un endroit où il est susceptible de passer. Et où tu penses qu'il faut l'attendre ?

Ce n'était pas vraiment une question, puisqu'il continua, les yeux espiègles :

– Il suffit de trouver l'endroit où il mange habituellement. L'orignal se nourrit tôt le matin et au coucher du soleil. Le reste de la journée, il est couché et, par conséquent, en mesure d'entendre le moindre bruit et de sentir venir toute présence menaçante. J'ai déjà repéré un ravage tout près du lac, où les arbrisseaux ont été fraîchement rompus et pelés, signe qu'un orignal se régale dans ce coin-là. On partira tôt demain matin, voir ce que ça donne.

* *
*

C'était une journée grise et froide. Sur place, Luc-John choisit dans les sapins et les aulnes une cachette offrant une bonne vue sur le ravage. On s'assit sur un rocher à l'abri du vent frisquet qui pénétrait jusqu'aux os. Il ne restait plus qu'à attendre. Et l'on s'arma de patience, de beaucoup de patience. Luc-John se mit les mains autour de la bouche et se pinça le nez pour *caller*. Le son sortit un peu du nez et aussi de sa gorge. Il imita l'appel langoureux d'une femelle en chaleur, une série de bramements nasillards ressemblant à « Huaa...â ! Huaa...â ! »

– Le mâle a l'ouïe assez fine pour entendre ces appels de très loin. S'il y en a un dans le coin, il viendra dans notre direction. Tu vas voir, il va répondre par un mélange de ce qui ressemble à des rots et des petits jappements... doux !

Pour lui, il ne s'agissait pas uniquement d'imiter les cris de l'animal. Il fallait aussi monter un genre de spectacle. L'appel devait ressembler au rituel qui se passe dans la nature. Suivant ses instructions, je marchai dans les aulnes au bord du lac en cassant des branches sèches, exactement comme l'aurait fait une grosse femelle.

– Ce bruit-là fera dresser les oreilles du mâle ! Va aussi dans l'eau faire des vagues avec les jambes, à la manière d'une femelle qui mange et qui boit.

À la fin de ma prestation, Luc-John lança trois appels, brefs et doux.

– Parfois, il faut imiter la femelle qui urine dans l'eau, me dit-il en me remettant un contenant rempli d'eau, que je versai en un long filet, imitant le bruit d'une vessie se vidant dans le lac. Ensuite, je retournai dans les aulnes, casser quelques branches sèches.

Après mon rituel, Luc-John *callait.* Il ne resta plus qu'à attendre que l'orignal se pointe, mais monsieur n'était pas pressé. Nous avions aménagé notre cache assez confortablement pour y revenir, et je répétai mon petit spectacle plusieurs jours de suite. La santé de Luc-John semblait tenir bon. La chasse l'excitait. Il était dans son élément.

Un matin, ayant découvert de la bouse fraîche, Luc-John décida d'amorcer une séance d'appels de cet endroit. Apparemment, la femelle orignal se roulait ou se couchait souvent dans une souille pour appeler le mâle. Il ventait passablement, mais l'appel portait assez loin, à condition d'attendre entre les bourrasques pour crier. Enfin, j'entendis des rots et des petits jappements étouffés venant d'à peine une centaine de mètres devant nous. Le mâle nous répondit à quelques reprises. Le défi allait être intéressant. Luc-John cessa alors de *caller.*

– Quand il est proche comme ça, il vaut mieux ne pas éveiller sa méfiance.

Soudain, une branche craqua. Le bruit venait d'un buisson derrière nous. Que se passait-il ? On croyait le mâle devant. Perplexes, tous nos sens en alerte, nous regardions dans la direction du son. Je vis une bête s'approcher lentement, en catimini, sans que je puisse distinguer quoi que ce soit dans le sous-bois trop dense. Tout d'un coup, l'animal se précipita sur nous. Je vis une tache foncée passer à travers les sapins et, sur le coup, je pensai qu'un bébé orignal venait rejoindre sa mère, qu'on imitait depuis une bonne trentaine de minutes. À mon grand étonnement, je distinguai un ours noir. Un gros ! Il courait droit sur nous, à l'attaque, puis s'arrêta net, surpris sans doute de nous voir plutôt que la femelle orignal et son petit. Il hésita, à moins de trois mètres de nous, accroupi, prêt à bondir, les oreilles couchées sur le crâne et les lèvres retroussées montrant d'énormes dents jaunes, les narines ouvertes et la bouche tordue en un rictus menaçant. Je le regardai effrayé, sans trop comprendre ce qui nous arrivait, trop surpris pour réagir, lorsqu'un PAN sonore me fit sursauter. L'ours s'affaissa. Était-il mort ? Le cœur me tambourinait dans les oreilles. L'estomac à l'envers, le souffle court et rapide, je sentis une sueur froide me glacer des pieds à la tête en prenant conscience de ce qui aurait pu m'arriver. Luc-John gardait toujours l'arme en joue, prêt à tirer au moindre mouvement de la bête. Même gisant, l'ours m'impressionnait. Je voulus m'en approcher, mais Luc-John m'arrêta. Le fait que l'animal ne bougeât plus ne voulait pas dire qu'on l'avait tué. Au contraire, souvent la bête feignait la mort pour mieux surprendre le chasseur. Luc-John le contourna avec précaution par derrière afin de ne pas s'exposer aux pattes ni à la tête. Il poussa la masse inerte à quelques reprises avec la pointe de la carabine. Aucune réaction. L'ours était bel et bien mort.

Je l'examinai de plus près. Il avait été atteint entre les deux yeux, d'un tir tellement parfait que même Luc-John en fut surpris, bien que très fier. L'ours mesurait plus d'un mètre cinquante et devait peser deux cents kilos. Son pelage était long, dru et noir, sauf pour un V blanchâtre sur la poitrine. Je frissonnai à la vue de ses pattes solides terminées par cinq doigts armés de fortes griffes recourbées. « De quoi faire un vrai carnage », me dis-je.

On avait notre viande pour l'hiver. L'orignal ? Ce serait une autre fois.

CHAPITRE 15

Les adieux

Nous avions terminé nos préparatifs pour l'hiver. On avait fait de la trappe et vendu les peaux, acheté nos provisions, récolté les fruits sauvages et les légumes du jardin, et constitué une bonne réserve de viande et de poisson. Seuls manquaient les deux sacs perdus en forêt.

– Ça doit être un mauvais tour de Maghah, le petit homme espiègle qui vit sous terre, celui qui s'amuse à déplacer les objets pour qu'on ne les retrouve plus.

– Ouais, bien, Maghah va en manger une maudite si jamais il ne nous rend pas nos sacs, répondis-je, frustré que nos denrées les plus précieuses se soient volatilisées sans laisser de traces.

Pour le reste, on était fin prêts. On avait même ramoné la cheminée, car rien ne me paraissait plus terrifiant qu'un feu de cheminée, l'hiver. L'avoir vécu une fois me suffisait. Se faire réveiller la nuit par le grondement d'un poêle aux tuyaux incandescents n'a rien de réjouissant. Tenter de les refroidir à l'aide de linges mouillés non plus. J'entends encore les SHHRRR, les PHISSS, les crépitements et les craquements des conduits au contact de l'eau instantanément transformée en vapeur. On l'avait échappé belle, ma mère et moi, par une nuit glaciale de janvier.

Pour notre premier hiver, je m'occupai des réparations autour de la ferme alors que Luc-John s'assurait de remettre en état le matériel de piégeage pour la saison de trappe. La neige tardait à venir, mais les journées raccourcissaient, de plus en plus glaciales. C'est à partir de ce moment-là que la santé de Luc-John s'étiola. Comme si, une fois rassuré sur nos provisions jusqu'au printemps, il n'avait plus eu à se battre et s'était laissé emporter par la maladie. Ses quintes de toux devinrent plus persistantes et sa respiration sifflante. Pendant ses crises, la bouche grande ouverte, il aspirait douloureusement en cherchant l'air. Couché, exténué, en sueur, il chuintait comme une vieille machine à vapeur sur le point d'éclater. Je ne cessais de lui servir des tisanes et d'autres décoctions, efficaces hier, mais sans effet aujourd'hui. Je me sentais impuissant, déchiré de le voir comme ça. J'en vins à respirer à son rythme et avec autant d'effort que lui, dans l'espoir sans doute d'aider, mais sans grand succès. À plusieurs reprises, j'annonçai à Luc-John que j'allais chercher du secours. Chaque fois, il s'y opposa fermement, de peur d'être découvert et ramené au pensionnat.

Un matin, n'en pouvant plus, je partis pour le dispensaire du village de Saint-Joseph. Dans nos tournées des sentiers, Conrad m'avait souvent parlé de l'infirmière là-bas. Comme il n'y avait pas de médecin sur place, elle s'occupait de tout, du plus petit au plus gros bobo.

– Une fois, je suis allé la voir pour un mal de dents, avait raconté Conrad. J'ai attendu une bonne partie de la journée avant qu'elle revienne d'un accouchement au village. Je souffrais le martyre et je n'étais pas content, mais quand elle est arrivée, elle n'a pas niaisé, laisse-moi te le dire. En deux temps, trois mouvements, elle m'arracha la dent, plus rapidement et moins douloureusement que n'importe quel grand dentiste de Montréal. J'y suis retourné pour d'autres raisons plus tard et, chaque fois, je suis sorti de là émerveillé. Il n'y a pas de doute, c'est une grande guérisseuse. Une chose, il faut s'armer de patience parce qu'elle est souvent partie pour des urgences. Quand même, tu devrais encourager ton ami à y aller. Je suis certain qu'elle pourrait l'aider.

Luc-John ne voulait rien entendre, tenant plus à sa liberté qu'à une hypothétique guérison. Ce matin-là, je partis malgré lui, avec l'idée de profiter d'une absence de l'infirmière pour voler quelques médicaments. Après une demi-journée de marche en forêt, j'arrivai au dispensaire situé près de l'église et du presbytère de Saint-Joseph. Il s'agissait d'une grande maison blanche avec une galerie en façade et un toit orné de lucarnes. Tapi à l'orée du bois, je surveillai l'endroit et fus déçu de voir des ombres passer devant l'une des fenêtres. L'infirmière devait être là. Je pris mon mal en patience, dans l'espoir qu'une urgence l'appelle. Tout l'après-midi, je restai caché à grelotter, sous un ciel gris et menaçant de neige, les pieds et les doigts gelés. Je pensai me réfugier une petite demiheure dans l'église, mais je craignais trop d'éveiller les soupçons des villageois. Je redoutais d'attendre tard la nuit pour commettre mon larcin. Où en trouverais-je la force ? De plus, je me sentais coupable d'avoir laissé Luc-John sans aide toute la journée. Enfin, tard en après-midi, un buggy lancé à vive allure s'arrêta brusquement devant le dispensaire. Sacoche de médecin à la main, l'infirmière sortit quelques instants plus tard et monta dans le buggy, qui repartit à toute vitesse. C'était ma chance. « Je rentre, prends les médicaments et je déguerpis... Ni vu ni connu. Voilà un maudit bon plan », me dis-je, en souriant.

« Oh mon Dieu ! Quelle belle sensation que d'être dans une maison bien chaude ! » pensai-je, dès mes premiers pas à l'intérieur. En face de moi se trouvait un escalier. À gauche, je suivis le couloir qui servait aussi de salle d'attente. Au fond, j'ouvris doucement une porte. La pièce était à peine assez grande pour loger une table de consultation au centre, une petite table de travail dans un coin et un lavabo dans l'autre. Excité, je vis ce que je recherchais : des médicaments bien alignés derrière la porte vitrée d'un cabinet blanc. Il y avait toutes sortes de bouteilles de différentes couleurs, de la plus petite fiole au contenant de cinq litres, du transparent au brun opaque, étiquetées de noms comme Morphinae Sulphas, Iba-Cide, Vaps, Bétadine, Castor Oil, etc. Devant une telle pharmacie, comment choisir le bon médicament ? J'étais bien embêté. Certaines bouteilles arboraient une tête de mort, d'autres avaient l'air inoffensif, mais pouvaient contenir des substances tout aussi mortelles. Après une longue pause, je pris tous les médicaments sans tête de mort en vue de les tester plus tard. Soudain, quelqu'un vociféra :

– EILLE ! QU'EST-CE QUE TU FAIS LÀ ?

En sursautant, je lassai échapper une grosse bouteille brune qui éclata sur le plancher. Une forte odeur d'alcool à friction remplit la pièce, piquant mes narines et me serrant la gorge. Des larmes embrouillèrent ma vue un instant. N'étais-je pas seul ? Je n'avais pourtant pas entendu l'infirmière revenir. En me retournant, quelle surprise ! Une vieille dame me barrait la sortie en me menaçant d'une canne, prête à m'assommer au moindre mouvement suspect. Après un moment d'hésitation, je décidai de courir de toutes mes forces, de la bousculer hors de mon chemin et de me sauver avec les médicaments que j'avais dans mon sac. Comme si elle avait lu dans mes pensées, la vieille m'avertit agressivement :

– Pense-z-y même pas. Si t'essayes quelque chose, je vais te frapper assez fort que c'en sera pas drôle.

Elle ajouta avec défi :

– Tu vas voir qu'à mon âge, je suis encore capable de t'en sacrer une.

À son air menaçant, ses yeux en furie, ses lèvres pincées et tous ses muscles tendus, je ne doutai pas du tout qu'elle me fracasserait le crâne. On resta un bout de temps à se jauger. Par moments, je sentais sa détermination s'amenuiser. Au moindre geste de ma part, cependant, elle redevenait alerte, prête à frapper. Après ce qui me parut une éternité, je conclus que je n'avais pas le choix. J'allais m'élancer quand le bruit d'un buggy se fit entendre. Peu après, la porte d'entrée claqua. La vieille harpie se mit à crier à tue-tête :

– Marie, viens icitte ! J'ai trouvé un petit voleur. Dépêche-toi. Vite !

Profitant de son inattention, je pris mes jambes à mon cou et fonçai droit sur elle, la poussant violemment. La canne fendit l'air, sans m'atteindre. La voie était libre. Continuant ma course, je traversai le couloir et VLAM ! J'entrai violemment en collision avec l'infirmière, une femme costaude, solide. En tombant sur le plancher, je reçus un bon coup de canne, qui m'assomma raide.

À mon réveil, sur la table d'examen, j'étais nu, le corps recouvert d'un drap. Quand j'ouvris les yeux, l'infirmière me dit :

– Ça va mieux ? Combien de doigts tu vois ?

– Trois.

– C'est bien. C'est bien. Tu vas avoir mal à la tête pendant un petit bout de temps. Prends ça pour calmer la douleur, dit-elle en me remettant deux comprimés. Tu as une vilaine bosse qui devrait disparaître dans quelques jours, rien de sérieux. Maman ne t'a pas manqué.

En me parlant, elle s'affairait à vider de mon sac les médicaments que j'avais volés. En secouant la tête de dépit, elle lâcha, choquée :

– Sais-tu combien ça m'a pris de temps pour collecter ces médicaments-là ? C'est tellement difficile d'en avoir. Comment j'aurais fait pour soigner mes malades si t'étais parti avec tout ça ?

Je n'osai pas me défendre de peur de dénoncer Luc-John. Je demandai plutôt :

– Où sont mes vêtements ?

– Au lavage. Ils empestaient toute la maison. Maman dit qu'après que j'en aurai fini avec toi, ce sera à ton tour de prendre un bain. Elle n'a pas tort. Tu ne sens pas la rose, précisa-t-elle avec une moue de dégoût.

Je voulus objecter que je n'avais pas de temps pour un bain. Je pensais à Luc-John et me désespérais de jamais pouvoir l'aider. En voyant ma réaction, elle ajouta :

– Avec maman, c'est pas négociable. Tu comprends ?

À ces mots, elle m'aida à me relever, la couverture autour du corps, et m'amena dans la petite pièce bien chauffée, à côté. Un grand bain rempli d'eau très chaude m'y attendait. Dans un coin, un grand chaudron d'eau bouillait sur un petit poêle à bois et de l'autre côté, des serviettes et des vêtements propres étaient étalés sur une table le long du mur. La consigne de la mère était claire : je devais me laver en entier, sans oublier les cheveux, les oreilles et la saleté sous les ongles. La vieille chipie viendrait faire son inspection de temps en temps.

Je n'avais pas pris de bain chaud depuis le poste de traite. Chez ma tante Rose, on n'insistait pas là-dessus et avec Luc-John, la baignade à la rivière suffisait. L'installation, l'odeur et l'ambiance humide me rappelèrent le bain du vendredi soir à la maison. Tous les bons souvenirs d'avoir été dorloté par ma mère me montèrent au cœur. Je pris conscience qu'elle me manquait beaucoup et, pourtant, je fus peiné de constater que je pensais peu à elle. C'était toute une sensation de mettre les pieds, puis tout le corps, dans un bain d'eau que je sentais très chaude. Après un bout de temps, l'eau jusqu'au cou, je me détendis. Je m'endormais. Juste à ce moment-là, la vieille dame entra en catastrophe, prit la chaudière d'eau bouillante sur le poêle et la versa dans le bain. J'eus envie de crier de douleur. La vieille, imperturbable, en profita pour me menacer :

– Qu'est-ce que t'attends pour te laver ? Si tu ne commences pas, tu vas voir que je vais te laver moi. Je vais te frotter jusqu'à ce que ta peau soit à vif.

Elle sortit de la pièce en claquant la porte. Je m'empressai de me laver. Elle revint quelques instants plus tard, inspecta mon grand nettoyage et, visiblement, ne fut pas satisfaite.

– Puis, la tête ? T'appelles ça te laver les cheveux ?

D'un geste brusque, elle prit le pain de savon et se mit à me frotter vigoureusement le cuir chevelu. J'eus beau protester et lui demander de faire attention à ma bosse, rien n'y fit. Malgré mes « Aille ! Ça fait mal » et mes « Ayoye ! », elle me fit trois shampoings et m'inspecta les oreilles et les ongles.

– OK ! C'est bon, dit-elle, satisfaite. Tu peux sortir du bain. Les serviettes sont sur la table. Tu mettras les vêtements qui sont là.

« Ouais, il n'y a pas à dire, la vieille avait raison », pensai-je en regardant la crasse flotter sur l'eau. J'enfilai des sous-vêtements à jambes et à manches longues, des bas de laine épais, une chemise en flanelle carreautée rouge, un pantalon en coton épais et une paire de pantoufles. Les vêtements étaient un peu grands, mais je ne m'étais pas senti aussi bien habillé depuis l'époque de ma mère. Tout de cette soirée me faisait penser à elle. Je finissais de m'habiller, quand la vieille chipie revint avec une paire de ciseaux.

– Amène la chaise qu'il y a là, puis assis-toi ! m'ordonna-t-elle sèchement.

« Oh, mon Dieu ! Dis-moi pas que j'en ai pas fini avec elle », m'inquiétai-je. Elle s'attarda un bon moment à me couper les cheveux, puis, aussi brusquement qu'à son arrivée, elle remballa ses affaires et s'en alla, sans dire un mot. Craignant qu'elle revienne avec un autre supplice, je sortis de là presto. En me voyant entrer dans la cuisine, elle cria d'un ton moqueur :

– Tiens, dis-moi pas, un être civilisé.

J'avoue que les cheveux coupés et bien peignés, vêtu de vêtements propres avec des plis de repassage, je me sentais comme un sou neuf. Alors que la vieille dame affichait sa fierté du résultat, je remarquai que l'infirmière se retournait, la larme à l'œil, fuyant mon regard.

* *
*

J'appris plus tard de la mère que sa fille, garde Beauchemin, avait exercé le métier d'infirmière à Montréal avant d'être nommée responsable du dispensaire. Plus jeune, elle s'était mariée, avait eu un bon mari, de beaux enfants et un foyer des plus heureux. Puis, un soir d'hiver, la tragédie brouilla les cartes. Sa famille disparut, emportée par les flammes. Sa vie s'arrêta net. Désemparée et suicidaire, Marie aurait sombré, n'eût été sa mère qui, pour l'éloigner du précipice, voulut lui trouver un changement salutaire, radical. Ayant lu dans les journaux que le gouvernement recrutait des infirmières pour les dispensaires des régions éloignées, la mère n'hésita pas à envoyer le curriculum vitae de sa fille. Il valait mieux, croyait-elle avec raison, que Marie quitte son quartier de Montréal et ses affreux souvenirs. Quelques mois plus tard, elles partirent toutes les deux pour l'Abitibi. En quittant Montréal, Marie n'avait pu s'empêcher d'apporter quelques vêtements d'un de ses fils, miraculeusement épargnés par le feu. La mère avait tenté de l'en dissuader, mais en vain. Après que les choses allèrent mieux, elle supplia sa fille :

– C'est le temps, Marie, de les donner à une famille nécessiteuse de la paroisse.

Marie n'avait pas répondu, doutant de ne jamais avoir le courage de s'en départir. Et ce soir, la mère m'avait remis les vêtements, sans que sa fille s'y oppose le moins du monde, à l'exception des larmes aux coins des yeux. La cassure était complète.

* *
*

La vieille dame me servit un grand bol de soupe épaisse, avec du jambon et du pain frais. Pendant que je mangeais, les questions fusèrent de toutes parts, aussi bien de la mère que de l'infirmière. Comment est-ce que je m'appelais ? Où est-ce que je demeurais ? Pourquoi voulais-je des médicaments ? Et ça n'arrêtait pas. Je donnai des demi-réponses, pour ne rien révéler de Luc-John, mais les deux femmes continuèrent à piocher de plus belle. Plus elles sentaient le morceau près de m'échapper, plus elles s'acharnaient. À la fin de l'interrogatoire, elles savaient tout, sauf que Luc-John était Amérindien.

Après le bon repas, je demandai qu'on me rende mes vêtements et suppliai qu'on me donne quelques médicaments pour Luc-John avant de repartir. Je reçus une fin de non-recevoir. Non, je ne pouvais pas partir. Il faisait un froid de canard, sans parler de la nuit noire où je ne ferais pas deux pas en forêt sans me perdre. Elles avaient totalement raison. De plus, mon linge séchait dehors et ne serait pas prêt avant le matin. Aussi, il était préférable que Marie voie le malade pour lui prescrire les bons médicaments. J'eus beau m'entêter, parler de l'urgence de retourner auprès de Luc-John, elles demeurèrent de marbre. Elles m'invitèrent plutôt à dormir dans l'une des chambres du haut. Résigné, je me couchai en me promettant de m'échapper pendant la nuit. Cependant, repu et bien au chaud dans un lit douillet, je m'endormis profondément et fus surpris d'être réveillé le lendemain matin par la mère. C'était ma première bonne nuit de sommeil depuis longtemps. J'imagine que toutes ces nuits, couché dans la pièce où Luc-John toussait, crachait et respirait fort, n'avaient pas été de tout repos.

La clarté du jour pointait à l'horizon lorsque j'entrai dans la cuisine où m'attendait une omelette aux lardons, avec du sirop d'érable et du bon pain frais. Avant de manger, je dus me laver les mains et le visage ainsi que me peigner sans oublier de dire le bénédicité. Sur une chaise, je vis mon sac, dans lequel la mère avait mis mes vêtements lavés de la veille. Elle avait aussi déposé tout près un chandail de laine épaisse, un gros manteau et des bottes d'hiver. Tout ça pour moi. Garde Beauchemin avait déjà mangé et se préparait pour le départ. Je n'eus aucun mal à la convaincre que pour se rendre à la ferme, il serait plus rapide de traverser la forêt à cheval que de suivre les routes rurales en buggy.

– Ah mon Dieu ! Marie, tu ne vas pas y aller à cheval, s'exclama la mère. Mais qu'est-ce que le curé va dire ? Tu te souviens de ce qu'il a dit l'autre fois : « Le port du pantalon par une femme est obscène. Les dames respectables se promènent en buggy, pas à dos de cheval comme une... », fit-elle, en imitant le ton bourru du curé.

– Comme une vulgaire créature, compléta garde Beauchemin, exaspérée.

Le curé avait aussi menacé de la dénoncer à l'évêque et aux autorités médicales, si jamais elle recommençait. « Ce n'est pas vrai que je vais laisser des gens de la ville venir débaucher la belle jeunesse du village », avait-il crié en quittant le dispensaire.

– Mais m'man, comment voulez-vous que je m'habille pour monter à cheval par un temps pareil ? Certainement pas en robe qui volerait au vent. Là, je serais vraiment indécente. Puis si je peux faire l'aller-retour plus vite à cheval qu'en buggy, c'est bien tant mieux, d'autant plus que Mme Latreille est sur le point d'accoucher.

– Je sais, je sais, mais je te garantis que tu vas en entendre parler.

– Et ce ne sera pas la seule chose que M. le curé va nous reprocher.

– Ah non ? Quoi ?

– Mais, il y a un homme qui a couché icitte hier soir.

– Ce n'est qu'un enfant, protesta la mère, étonnée qu'on pense une chose pareille.

J'écoutais cette conversation en me rendant compte qu'on parlait de moi. Un enfant ? Mais j'étais sur point d'avoir quinze ans !

– Un enfant oui, mais un homme pareil. Pour M. le curé, il n'y a pas de différence. Dans les deux cas, on est toutes les deux des guidounes de Montréal.

La mère haussa les épaules. C'était une autre chose qui chatouillait le curé : la fréquentation des hommes. « En réalité, il n'a pas à s'inquiéter. Marie est tellement occupée qu'elle n'a pas le temps de fréquenter qui que ce soit, jeune ou vieux. »

* *
*

Comme la veille, le temps gris menaçait de neiger. Heureusement, le vent s'était calmé, et la journée s'annonçait belle pour une promenade en forêt. Je marchais devant et garde Beauchemin me suivait à cheval. On ne parlait pas beaucoup, chacun préoccupé, moi à retrouver mes repères et elle à admirer le paysage. On passa devant la cabane de Conrad. Elle se souvenait vaguement de ses visites au dispensaire. Je lui contai comment Conrad nous avait aidés pour la trappe et la vente des fourrures. Elle fut surprise d'apprendre qu'il était parti se battre en Europe. Je continuais de parler de Conrad avec enthousiasme quand, dans un tournant, qu'est-ce qui m'apparut ? Les deux sacs de provisions, pendus à la branche d'un immense frêne. Je n'en revenais pas. « Maghah, mon *sacrament*, tu étais mieux de nous les remettre », me dis-je en pensant au petit être malfaisant de Luc-John. J'étais passé par là tant de fois sans les voir. Maintenant que l'automne avait tout dénudé, ils étaient visibles à des mètres à la ronde.

J'eus hâte de partager ma joie avec Luc-John. C'était un bon signe. La chance nous souriait depuis ma rencontre avec l'infirmière et sa mère. Garde Beauchemin saurait assurément guérir Luc-John de son mal. J'accrochai les sacs au cheval et on continua jusqu'à la ferme.

À notre approche, je remarquai qu'aucune fumée ne sortait de la cheminée. Par une température pareille, le poêle à bois aurait dû gronder. Inquiet, je courus jusqu'à la maison et entrai. Tout était sombre. Luc-John gisait sur le matelas, dans la même position que la veille. En fait, tout était resté comme le matin de mon départ. Luc-John ne s'était pas levé une fois. Je craignis qu'il soit mort, puis soulagé, j'entendis sa respiration rauque et saccadée. Inconscient de ma présence, tout en sueur, il marmonnait et se plaignait. Une odeur fétide montait du lit. Il en avait tellement perdu, depuis hier! Garde Beauchemin entra à son tour et ouvrit l'unique fenêtre en tempêtant :

– Ça pue icitte. Un peu d'air frais ne fera pas de tort. Rémi, fais du feu et mets de l'eau à bouillir, beaucoup d'eau. Après, tu t'occuperas du cheval, puis tu rentreras du bois.

J'avais mes instructions, content d'avoir quelque chose à faire. Pendant que je m'affairais, garde Beauchemin prit le pouls de Luc-John et sa température, l'ausculta, puis écouta ses poumons. Après chacune de ces opérations, son visage s'assombrissait un peu plus. Pendant que je dessellais et nourrissais le cheval, elle lava Luc-John. Il n'avait plus que la peau sur les os. Elle changea la literie, puis nourrit le malade. Lorsque j'entrai plus tard, la maison sentait bon à nouveau. Près du poêle, garde Beauchemin travaillait à brasser le linge sale dans une grande cuvette d'eau bouillante. Elle était tout échevelée, le visage rouge et en sueur. En me voyant, elle prit la théière sur le poêle.

– J'ai trouvé le thé. En veux-tu ?

Je fis signe que oui. Elle me remit une grande tasse fumante, puis s'assit près de moi en sortant de son sac une brique de fromage et du pain. On mangea en silence. J'attendais qu'elle me fasse part de son diagnostic. Après le repas, elle m'ordonna plutôt de me dévêtir.

– Enlève ta chemise, je vais t'examiner.

Elle m'ausculta, écouta mon cœur et mes poumons, vérifia le fond de ma gorge et mes oreilles. Pendant qu'elle faisait tout ça, elle me posait des questions. Depuis combien de temps j'habitais avec Luc-John ? Depuis quand crachait-il du sang ? Est-ce que j'avais eu dernièrement une toux importante, qui aurait duré plus de trois semaines, accompagnée de crachats, de douleurs à la poitrine, de sueurs nocturnes et d'une perte de poids ? Elle semblait surprise que, malgré mon contact étroit et quotidien avec Luc-John, je ne présente aucun symptôme de sa maladie. Je lui parlai des tisanes de cèdre et d'ortie ainsi que des graines d'ortie qu'on mangeait tout le temps.

– D'après ce que tu m'as décrit des symptômes de ton ami, je suis surprise qu'il soit encore en vie. Il doit être un sacré batailleur parce que, habituellement, la tuberculose n'est pas aussi clémente. Le traitement artisanal t'a sans doute aidé. Continue à le suivre, tant qu'il donne de bons résultats.

Elle sortit un petit carnet de sa trousse de médecin. Partout où elle allait, elle notait les remèdes maison de ses patients et n'hésitait pas à les mettre en pratique. La recette d'ortie était nouvelle pour elle et figurerait dorénavant parmi ses meilleures. Elle referma le calepin et me regarda, attristée.

– Je crains que ton ami n'en ait plus pour longtemps. Continue de lui servir des tisanes et des décoctions, si ça peut le soulager. Tant qu'il en a la force, essaie de l'asseoir au soleil près de la fenêtre ou, encore mieux, au grand air. Le soleil, l'air pur et le repos sont au cœur du traitement de la tuberculose. L'idéal serait de l'envoyer dans un sanatorium.

– La ferme me sert de sanatorium, réagit Luc-John, lorsqu'il se sentit mieux. J'y trouve de l'air pur et du soleil en masse, puis la nourriture est bien meilleure. Sans oublier, j'ai toi, Rémi, pour me soigner. Toutes les conditions pour ma guérison sont réunies ici.

Et en effet, il se mit à remonter la pente pendant quelques jours. Si bien que je doutai du diagnostic de garde Beauchemin. Puis, un matin de décembre, alors que la neige tombait du ciel en gros flocons, Luc-John cracha, puis vomit du sang, encore du sang, rien que du sang... Une odeur répugnante remplit la pièce. Mon ami s'éteignait. De jour en jour, il diminuait davantage. Les yeux agrandis, la bouche ensanglantée, grande ouverte elle aussi, il essayait désespérément de respirer. Dans sa détresse, il ne put me parler. Au bout d'un certain temps, il n'arriva plus à filtrer l'air et s'affaissa, inerte. Il avait retrouvé son grand-père dans le grand canot doré.

Sans attendre que son corps refroidisse, je le lavai. Comme promis, je le revêtis des habits autochtones qu'il s'était confectionnés et avait mis de côté.

– Trop risqué de les porter, avait-il estimé.

Dans la mort, il avait le droit de les mettre à nouveau et d'être lui-même : un digne Amérindien, fier de son héritage. J'enveloppai le corps dans un drap propre et le ficelai étroitement avec des cordes avant de le transporter à la grange, où je l'entreposai, hors de portée de la vermine, jusqu'à l'inhumation au printemps. La neige tombait doucement, lentement et sans bruit. Un silence absolu régnait. Malgré la noirceur, la neige brillait d'un éclat, d'une luminosité féerique et surnaturelle. Luc-John m'avait confié qu'il aimait l'emplacement de la tombe de ma mère, sous le grand chêne, en raison de la beauté de la chute et de la vallée qu'on apercevait au loin. « Oui, c'est un bel endroit. Je suis certain que ma mère aimera t'avoir près d'elle », pensai-je.

Je retournai à la maison où je passai le reste de la nuit à tout nettoyer, à frotter et à astiquer de fond en comble. Au lever du jour, je m'assis, épuisé. Trop engourdi pour pleurer ou dormir, je restai là, le cœur vide, à attendre... sans trop savoir qui, quoi ni pourquoi.

CHAPITRE 16

Le spectre

J'étais seul et vide à l'intérieur. Je n'arrivais plus à m'habituer ni au silence ni aux bruits de la maison. La respiration rauque de Luc-John me manquait. En fait, tout de lui me manquait : son sourire, son air enjoué, son parler et sa grande amitié. Vivre dans la maison devenait insupportable. Beau temps, mauvais temps, je me promenais dehors à longueur de journée. Mes raquettes marquaient la neige dans toutes les directions. Je couchais une nuit sur deux à la cabane de Conrad. À la fin, je ne dormais plus que sous les grands sapins, à l'abri du vent et des bourrasques.

Sans trop m'en rendre compte, j'avais commencé à poser des pièges. Je suivais les marques laissées par Conrad pour baliser ses sentiers de trappe. Il m'avait légué le carnet dans lequel il délimitait son territoire et indiquait ses repères, marais, reliefs, etc. Il avait aussi noté ses trouvailles pour placer les pièges et inscrit les habitudes des animaux par temps chaud, pluvieux ou froid. Toute cette mine d'information avait de quoi rendre ma tâche plus facile, ce qui n'empêchait pas que suivre ses traces restât pour moi tout un défi.

J'essayai de m'occuper le plus possible pour ne pas m'apitoyer sur mon sort. La plupart du temps, je m'efforçais de travailler jusqu'à tomber de fatigue. Souvent, je me surprenais à entretenir de longues conversations avec Luc-John. Je sentais qu'il acquiesçait à chacune de mes paroles et ça me faisait du bien de le savoir là. Pendant les longues soirées d'hiver, les souvenirs de ma mère revenaient eux aussi me hanter. De beaux souvenirs... Sa mort m'attristait toujours. Puis, bien malgré moi, je me rappelais l'abandon de mon père, l'artisan de tous mes malheurs. S'il était revenu à la maison plutôt que de courir la galipote à Montréal, maman serait encore en vie aujourd'hui. Je vivrais heureux dans ma famille, entouré probablement de frères et de sœurs. Je ne pouvais penser à tout ça sans qu'une vive colère monte en moi et je le maudissais pour tout le mal qu'il m'avait fait.

La saison de la trappe fut ordinaire. Pour ma première année, je me contentai néanmoins du résultat. J'avais ramassé un bon lot de fourrures de rat musqué et de loutre, et quelques peaux de loup, de castor, de lynx, de martre et de vison. Je refusais de trapper le renard. Je remarquai un jour que les prises se faisaient plus rares. Je trouvais les pièges enclenchés, mais rien ne restait des appâts. Au début, je pensai qu'un autre trappeur, probablement le vieux Tom, me jouait des tours. Puis, me rappelant l'aventure de Conrad avec les souris, je les soupçonnai jusqu'au moment où je constatai qu'il y en avait pas plus que d'habitude. J'étais perplexe. Qui pouvait bien subtiliser mes appâts et mes prises ? Lors d'une de mes tournées, j'aperçus enfin un animal trapu s'enfuir comme un voleur près d'un piège fraîchement délesté de son appât. Je n'en crus pas mes yeux. Avais-je bien vu un ours nain au pelage brun foncé, à double rayure jaune sale sur le dos, semblable à une mouffette ? Il courait rapidement sur ses pattes trapues aux grands pieds terminés par de fortes griffes blanches. En lisant le carnet de Conrad, je reconnus le carcajou, le petit diable de la forêt, comme l'appelait Luc-John en me racontant l'effroyable malédiction d'Iriniwai. « Il n'y a pas à dire, par ses contes et ses légendes, Luc-John avait le don d'expliquer l'inexplicable », me rappelai-je, bouleversé.

* *
*

Par un hiver particulièrement rigoureux, où la faim menaçait sa famille, Iriniwai, le plus grand et le plus futé des chasseurs, s'enfonça dans la forêt à la recherche de nourriture. Après plusieurs jours dans le froid et la tempête, Iriniwai se résignait à retourner chez lui bredouille quand, en chemin, il entendit le hurlement des loups. À travers les flocons qui tournoyaient, il observa la meute l'encercler. « S'ils s'apprêtent à me dévorer, la chasse doit être mauvaise pour eux aussi », pensa-t-il. Fanfaron, il cria au chef de la meute : « Mahikan ! Grand chef du clan des loups ! L'hiver trop rude rend la chasse difficile pour nous tous. En combinant nos talents, je suis persuadé que nous surmonterons cette épreuve. Nous nous remplirons la panse de belle chair fraîche. Je t'offre de chasser avec moi et de partager toutes les prises. Qu'en dis-tu ?»

Mahikan hésita. S'agissait-il d'un piège? Le vieux loup savait à quel point Iriniwai pouvait être malin. En revanche, il reconnut que l'ajout du plus grand chasseur de tous les temps à sa meute améliorerait grandement ses chances de succès. «Si ça ne marche pas, nous pourrons toujours le manger», se plut-il à penser. Le lendemain, Iriniwai se joignit aux loups. À la tombée du jour, chacun s'émerveilla devant une chasse aussi prodigieuse qu'abondante. Tous se gavèrent et festoyèrent jusqu'aux petites heures du matin. Morts de fatigue, les fêtards sombrèrent dans un profond sommeil, sauf Iriniwai qui en profita pour s'enfuir avec les produits de la chasse miraculeuse. À son réveil, Mahikan entra dans une colère terrible et lança à Iriniwai la pire des malédictions, le transformant du coup en un animal trapu avec deux larges raies dans le dos. «Pour qu'à ta vue, tous reconnaissent l'être vil, voleur et malin que tu es.»

Quand Iriniwai se présenta devant les siens avec son butin, personne ne le reconnut. On lui prit la nourriture et on le chassa sans ménagement dans les profondeurs des bois où, depuis ce temps, il erre en solitaire. Privé de l'amour de sa famille, le cœur d'Iriniwai s'aigrit au point de faire de lui un carcajou malicieux, le petit diable de la forêt, le mammifère le plus féroce et détesté de la Terre.

* *
*

Le carnet de Conrad décrivait le carcajou de manière plus terre à terre, tout en lui reconnaissant certains talents hors de l'ordinaire. Je me mis à lire sans pouvoir m'arrêter.

> *Chaque famille possède son mouton noir et le carcajou est sûrement celui des mammifères. Seule bonne chose à son sujet : sa rareté. Je n'en connus qu'un seul, mais tout un spécimen. À mon avis, il comprend une part d'ours, une part de moufette et une autre de petit démon, et cette dernière varie selon l'individu. Carnivore, il se nourrit de presque tout ce qui lui tombe sous la dent. Bon grimpeur, il a déjà atteint sans difficulté une de mes caches pendue à une branche très haute. Errant invétéré, il couvre de vastes distances chaque jour, même dans les pires tempêtes. Il n'hiberne pas comme l'ours et peut donc nuire à longueur d'année. En plus d'attribuer au carcajou les calamités habituelles, il s'en trouve toujours pour noircir sa réputation. Ils ont plaisir à raconter des sornettes, par exemple qu'il entra un jour dans la cabane d'un trappeur pour voler ses raquettes, ou encore, qu'il s'enfuit avec le fusil négligemment mis de côté par un chasseur. Rien de tel ne m'arriva avec le carcajou qui fréquentait mes pistes. Reste qu'il réduisit en miettes une de mes peaux de martre valant une quinzaine de dollars. Pas facile de se débarrasser d'un carcajou.*

Il débusque facilement les pièges qu'on lui tend. Comme le loup, il est particulièrement astucieux et méfiant. Peu de trappeurs, même les plus expérimentés, peuvent se vanter d'avoir déjà attrapé cet énergumène. J'avoue franchement ne pas compter parmi eux.

Après avoir lu sa description presque mythique, je me demandai comment faire pour me débarrasser de cette bête malfaisante. Un bon jour, je décidai de l'attendre, armé, près d'un piège garni d'une carcasse de mouffette, sa proie préférée. Lorsqu'il s'approcherait, je l'abattrais, rien de plus simple. Pour rendre le piège plus attrayant, je le badigeonnai copieusement de jus concentré de bête puante, spécialité de Conrad. Le temps était idéal et la brise soufflait dans la bonne direction. J'avais choisi cet emplacement pour la bonne raison que le carcajou y avait déjà chipé une de mes prises. J'étais impatient, mais le petit diable se fit prier. Plus j'attendais, plus il tardait à se montrer et, curieusement, plus je me sentais malheureux et insatisfait de ma vie. Je n'allais pas passer le restant de mes jours seul en forêt. Sans Luc-John, à quoi bon ?

Comme je me lamentais, voilà qu'un renard s'approcha timidement. Curieux, il fouinait de droite à gauche, attiré par l'odeur irrésistible de la mouffette. Je le regardai faire, inquiet qu'il se prenne au piège. Je n'osais pas intervenir de peur de révéler ma présence au carcajou qui, j'en étais persuadé, surveillait les environs depuis un bon moment. N'en pouvant plus, je sortis de ma cachette en gesticulant et en criant de toutes mes forces. Apeuré, le renard déguerpit. Je me rassis en maudissant ce damné imbécile tout en espérant, sans vraiment y croire, que le carcajou n'avait rien remarqué. Découragé, croyant ma ruse éventée, je repris le guet. Après un bout de temps, je fus surpris de voir le renard revenir.

– Ah, ben maudit ! Dis-moi pas qu'il va tout gâcher, sifflai-je entre mes dents.

Je vis rouge et souhaitai qu'il tombe dans le piège, c'était tout ce qu'il méritait. Mais je ne pouvais pas... Pas le renard... Pas le totem de Luc-John. Alors, je décidai de lui donner une bonne frousse. Je quittai ma cache en courant comme un enragé, le pourchassant à toute vitesse et faisant autant de bruit que je pouvais. L'animal s'enfuit, grimpa un talus sur le flanc de la montagne et disparut. J'étais soulagé. Je retournais à ma cachette quand il réapparut. Excédé, je m'élançai à nouveau à ses trousses, bien déterminé à le chasser jusqu'au bout du monde. Au sommet de la butte, le renard contourna un rocher et, dans sa course, sauta d'un bord à l'autre de l'escarpement. Comme un fou, je le poursuivis sans m'apercevoir que la pente raide était partiellement recouverte de glace vive, que le renard avait soigneusement évitée. À ma troisième enjambée, mon pied glissa et je m'écrasai lourdement.

Le choc me coupa le souffle. La carabine m'échappa des mains et glissa rapidement vers le précipice. Pris de panique, je tentai de la rattraper, ce qui ne fit qu'accélérer ma propre dégringolade. L'arme tomba dans le vide. Je pris conscience avec effroi que mon tour suivrait. Je me résignais au pire lorsque, par miracle, j'empoignai une racine au bord de l'abîme. Au même instant, un effroyable spectre m'apparut. Le crâne en partie dégarni, la peau desséchée et grisâtre, les orbites vides et les dents blanches figées en un rictus démoniaque, il flottait dans les airs, recouvert d'un ample manteau brun battant au vent. J'eus tellement peur ! Je ne sais comment, je remontai l'escarpement en un éclair et m'enfuis à toutes jambes. Je me sauvai dans le bois comme si le diable en personne avait été à mes trousses. J'eus l'impression de courir pendant des heures, des jours et des années. En descendant une pente abrupte, je perdis pied et culbutai. Ma chute s'arrêta brusquement au pied d'un arbre où, étourdi, à moitié assommé, je m'assoupis.

La nuit venue, des voix et des éclats de rire me tirèrent de mon sommeil. Je sentais la chaleur intense d'un immense feu de camp, autour duquel étaient assises trois personnes engagées dans une vive conversation. L'une me faisait face, l'autre à ses côtés m'était partiellement cachée par la troisième, qui me tournait le dos. Je reconnus Luc-John, les cheveux tirés en arrière, comme toujours. Il parlait fort à la personne devant lui, en gesticulant. L'autre à ses côtés riait de bon cœur. Je ne pouvais pas entendre ce qu'il disait, mais je compris qu'il prenait plaisir à décrire mes petites manies, ma démarche lourde et mon tempérament soupe au lait. Luc-John mima ma course folle dans la forêt. Son public s'esclaffa de plus belle. Puis, mon ami remarqua que j'étais réveillé. Lorsque son voisin se pencha pour mieux me voir, j'eus la certitude que c'était Castor. Ils étaient beaux à voir tous les deux, le visage rougi par les flammes, les yeux pétillants et le sourire radieux. Je n'avais jamais vu Luc-John aussi excité auparavant. Il fit signe à la personne devant lui de se retourner pour me saluer. Quel choc ! C'était mon père qui, heureux de me voir, hocha la tête et me montra la carabine dans sa main. Celle de Conrad ! Voir mon père me réveilla en sursaut. Confus, je ne savais plus si j'avais rêvé ou non. Dans la pénombre matinale, je trouvai les traces d'un ancien feu de camp, refroidi depuis longtemps. J'étais seul. Il n'y avait personne, sauf les fantômes de mes rêves.

Je sortis de la forêt et m'assis sur un rocher pour me réchauffer au soleil naissant. La clarté, les montagnes environnantes, la vallée et la buée montant de la forêt, tout me réconforta. Je réfléchis sur le sens de mon rêve. J'étais heureux d'avoir revu Luc-John et d'enfin connaître son ami Castor. Je m'interrogeai sur la présence de mon père, cet être abominable qui avait gâché ma vie. Pourquoi me montrait-il la carabine de Conrad ? J'eus beau chercher, aucune explication ne me vint. Tout ça me rappela que l'arme était tombée dans le précipice et que je ne pouvais pas chasser sans elle. Que dirait Conrad si jamais il apprenait que je l'avais perdue ? Je n'avais qu'une seule solution : retourner dans cet enfer, en espérant que la carabine ne s'était pas fracassée. À contrecœur, je me levai et partis.

Couché sur le rocher, caressé par un soleil radieux, je n'avais pas manqué de courage. Maintenant, plus j'avançais, plus j'avais des doutes. L'angoisse paralysait mes membres et ralentissait ma marche. Je fus surpris de constater que dans ma fuite, je n'avais pas couru des kilomètres et des kilomètres. Assez rapidement, je me retrouvai près du piège à carcajou. Le petit diable avait mangé la mouffette, comme de raison. Je me dis que c'était de mauvais augure et que tout allait de mal en pis. Enfin, j'arrivai près de l'escarpement et m'approchai avec précaution, évitant les plaques de glace noire au bord du précipice.

Il s'agissait d'une crevasse large et profonde. Au centre, je distinguai un monolithe massif qui ressemblait à un gros menhir fendu de haut en bas, créant une fissure béante, une cheminée dans laquelle s'était coincé un homme maintenant à l'état de squelette. Voilà bien l'épouvantail qui me hantait depuis la veille. Je n'osai pas le regarder, de peur qu'il me lance un mauvais sort. Il m'épiait de ses orbites noires, me jaugeant, cherchant mes faiblesses. Fasciné malgré moi, je vis que son crâne était en partie recouvert de lambeaux de chair desséchée, encore garnis de mèches noires éparses, alors que le reste de son corps était drapé d'un long manteau brun, élimé, battant au vent. À chaque claquement du tissu, je sentais mes cheveux se dresser un peu plus sur ma tête. Un long frisson me parcourut le dos. Sur le point de m'enfuir à nouveau, je vis ma carabine. Elle était tombée sur la carcasse d'un cerf, victime plus récente de l'escarpement. Stupéfié, je contemplai le sol réduit à une mare de sang caillé par endroits, sur laquelle flottaient çà et là des taches blanches de neige fondante et des squelettes d'animaux à diverses étapes de décomposition. Une odeur répugnante montait de cet enfer. Mon ventre se noua et mon cœur se mit à battre la chamade. J'eus envie de déguerpir, mais la vue de la carabine contribua à mater mon instinct de fuite.

Je restai longtemps accroupi à fixer la carabine et le sol ensanglanté. Si je descendais, je craignais qu'un monstre terré dans un coin noir me saute dessus, ou encore, que l'épouvantail se libère du monolithe pour m'attaquer et m'entraîner dans son monde infernal. Je prêtais l'oreille au moindre son, j'épiais le moindre mouvement qui m'aurait révélé la présence d'une menace. Rien. Absolument rien. Les minutes me parurent des heures. Tout en surveillant les lieux, je cherchai un moyen de descendre. Sur l'un des côtés de la crevasse, la paroi s'abaissait à moins de trois mètres du fond. J'entrepris d'y glisser un tronc d'arbre, en l'accotant à la pierre pour en faire un genre de rampe-échelle. Debout près du trou, je remarquai que le sol était pavé de cailloux rouges teintés de nuances allant du rose au brun pâle, avec des rayures blanches, ce qui lui donnait l'apparence d'être recouvert de sang limpide par endroit et caillé à d'autres.

L'odeur de putréfaction m'étouffait par moments. Je descendis en retenant mon souffle le plus longtemps possible. Avant d'y mettre tout mon poids, je m'assurai de la fermeté du sol, craignant d'être englouti par ce tissu de sang rocailleux. Je me concentrai sur la carabine reposant au pied du monolithe, couchée sur la fourrure maculée du cerf comme si elle y avait été délicatement déposée. Juste au-dessus flottait le long manteau du mort. Tous mes sens en éveil, je m'approchai lentement. Le CROUCH CROUCH de mes pas sur le gravier râpa mes nerfs à vif. En saisissant l'arme de Conrad, je crus voir des yeux dans le noir, sous l'escarpement. Pris d'effroi, je déguerpis et courus à vive allure jusqu'au piège à carcajou.

Posséder à nouveau la carabine rendit tout plus beau autour de moi, le soleil plus radieux, la forêt plus accueillante et gaie. Le cœur léger, je retournai à la maison. Cependant, au lieu de me sentir exalté par mon exploit, je devins plutôt attristé par mon aventure. Cette nuit-là et les nuits subséquentes, je dormis mal. L'épouvantail fantomatique m'appelait dans mon sommeil. Alors que tout autour de moi allait très bien, j'avais le sentiment tenace de manquer à mon devoir. Mais lequel ? Pour oublier, je m'absorbai dans la routine. La période de trappe terminée, je passai mon temps à ranger les pièges. Bientôt, je partirais avec les peaux au poste de traite.

Un matin, alors que je m'étais promis de ne jamais plus y retourner, je partis revoir l'épouvantail, à la recherche d'une réponse à ce qui m'ennuyait. Curieusement, par cette belle journée de fin de printemps, la crevasse, le monolithe et le sol ensanglanté avaient perdu leur aspect sinistre. Il n'y avait plus de monstre, seulement un pauvre type à la recherche d'une sépulture honorable. Je sus ce que je devais faire. Je descendis dans la fosse et entrepris de libérer l'épouvantail de l'emprise du monolithe. Le rocher lâcha prise à contrecœur, morceau par morceau. Je constatai que, dans la chute brutale qui l'avait emprisonné dans la cheminée, l'homme s'était brisé les deux jambes. Les os sortaient de la chair momifiée. Il était resté coincé, incapable de se dégager, souffrant le martyre pendant des jours, avant d'être délivré par la mort. Je ressentis une grande tristesse devant une fin aussi tragique. Surpris, je m'aperçus que d'où il se trouvait, je pouvais voir ma maison et la ferme au loin. « La dernière chose qu'il aura vue avant de mourir », pensai-je.

Les vêtements du corps en partie momifié tombaient en loques. En fouillant les poches, j'en retirai une boîte de cigarettes Players en métal, dans laquelle étaient roulés cent trente dollars, avec un petit crayon à mine, un jonc de mariage et une feuille pliée en quatre, souillée de taches brunes, probablement du sang séché. Il s'agissait d'une lettre d'adieu. À la forme des lettres, je soupçonnai que l'auteur avait dû se trouver en proie à des spasmes terribles au moment d'écrire.

Je frémis en lisant la première ligne : « À Madeleine Chartier, dernier rang, Saint-Marc. » C'ÉTAIT UNE LETTRE À MA MÈRE ! En tremblant, je poursuivis ma lecture :

Belle Mado,

Je prie Dieu que tu reçoives ma lettre. Un accident stupide... La mort ne me fait pas peur. Mon seul regret : vous quitter, toi et le petit. D'ici, je vois la ferme. Vous êtes si proches et pourtant... Je me suis souvenu de chaque instant de notre vie ensemble et j'en ai tout aimé, absolument tout. Tu m'as gâté en me donnant un beau garçon. Prends bien soin de lui et n'oublie pas de lui parler de moi. Je t'aime plus qu'il est possible d'imaginer...

Ton Amour, Viateur

À la dernière phrase, ma vue s'embrouilla. Les larmes se répandaient sur mes joues. Je n'avais pas pleuré au décès de ma mère ni à celui de Luc-John, mais là, les vannes étaient grandes ouvertes. Pas de cris ni de sanglots, seulement des larmes qui coulaient doucement et qui ne voulaient plus s'arrêter. Cet homme que j'avais tant maudit en l'accusant de tous les torts ne m'avait jamais abandonné. La mort était la grande responsable. Il s'était soucié de mon bonheur jusqu'à son dernier souffle et j'en fus énormément soulagé et reconnaissant.

Je ramassai ses restes comme s'il s'agissait de saintes reliques. J'étais surpris par leur légèreté. Maintenant que le sol était dégelé, je pouvais creuser une fosse pour mon père, près de celle de ma mère, sous le grand chêne de la colline, et une autre auprès de lui, pour Luc-John. J'enterrai les deux corps la même journée. Devant les tombes, je prononçai ces quelques mots :

– M'man, j'ai retrouvé p'pa. Vous pourrez à nouveau être heureuse et moi aussi. P'pa, dans mon rêve, vous paraissiez très bien connaître Luc-John et son ami Castor. Je vous laisse faire les présentations à m'man. Je suis certain que tous les quatre, vous allez bien vous entendre. Vous me manquez tous beaucoup, beaucoup.

Une boule dans la gorge, je ne pus rien ajouter. Je m'appliquai à graver profondément les épitaphes sur les croix en bois. Il était important pour moi de m'assurer que le temps et les intempéries n'effaceraient pas leur mémoire avant longtemps. Pour mon ami, j'inscrivis « Luc-John Renard Rapide ». Je crois qu'il aurait aimé ça. Ensuite, je travaillai tout aussi fort pour clôturer le petit cimetière de murets de pierre. Ce travail long et laborieux me rendit heureux. Je ressentais un grand bonheur à travailler en silence, parmi eux. Lorsque le lieu de sépulture fut à mon goût, je partis vendre les peaux au poste de traite. Desrosiers pensait sans doute m'avoir, maintenant que Conrad n'était plus là pour me défendre. Mais non. J'en ressortis heureux comme un pape. En comptant les cent trente piastres de mon père, j'avais près de cinq cents dollars dans les poches. Je m'achetai quelques vêtements avant de retourner à la ferme. J'y pris mes affaires, sans oublier le petit caillou que j'avais récupéré dans la crevasse. En forme de goutte de sang et douce au toucher, la pierre était d'un beau rouge profond, avec une petite veine couleur d'argent et une autre de cuivre. Je la gardai comme porte-bonheur, en souvenir de mon père. Je ressentais un grand réconfort en la caressant doucement. Je rapportai tous les pièges et les autres articles de Conrad à sa cabane. Si jamais il décidait de revenir, il retrouverait toutes ses affaires.

Fraîchement lavé, vêtu de mes habits neufs, je pris le train à Saint-Pascal pour Montréal, par un beau matin. J'allais retrouver Conrad dans l'armée.

À propos de l'auteur

Qui aurait pensé qu'un jour, le petit Jean-Baptiste écrirait un roman ? À l'école, il ne pouvait même pas aligner deux mots sans faire de fautes. Son incapacité de comprendre les subtilités d'une langue aussi contorsionnée que le français lui fit doubler sa quatrième année et, comme si ce n'était pas assez, sa cinquième aussi. Un début pénible, direz-vous. Plusieurs se seraient contentés « du pic et de la pelle » pour gagner leur vie. Pas lui. Il adorait feuilleter les journaux et lire les BD. C'était peu et pourtant bien assez. Il se savait capable de réussir, s'il s'appliquait. Et comme il avait de l'ambition, il s'appliqua…

Originaire du village de Deschênes, sur les rives de l'Outaouais, en banlieue de Hull et d'Ottawa, Jean-Baptiste, à l'adolescence, s'amuse à composer des nouvelles et à faire de la poésie, ce qui lui donne le goût d'écrire. Au secondaire, il gagne le prix littéraire de sa classe pour l'un de ses poèmes. Au cégep, il écrit une pièce de théâtre, *Bingo*, largement inspirée des *Belles-sœurs* de Michel Tremblay. À l'Université de Sherbrooke, il obtient un Baccalauréat ès arts général (en lettres françaises et anglaises et en histoire), puis il en complète un autre en communication à l'Université d'Ottawa. Pendant ses études, il participe activement aux journaux étudiants à titre d'éditeur.

Il fait carrière dans la fonction publique, tant au provincial qu'au fédéral, dans le domaine de la protection du consommateur. Pendant ses temps libres, il joue au badminton et fait du vélo. Il participe à la fondation du club Vélo plaisirs de l'Outaouais, dont il rédige le journal *Info-vélo* pendant plusieurs années. Il est particulièrement heureux de voir que le club compte aujourd'hui plus de 600 passionnés de cyclisme.

Tout au long de sa vie, il s'acharne à maîtriser une langue capricieuse dans le but d'écrire un jour « au moins un roman ». Dans son écriture, sa grande passion est de relater l'histoire récente, son intérêt, la rendre captivante…

À propos de la couverture

René Richard, *À l'orée des bois – Trappeur et canot* (ca 1959).

René Richard (1895-1982) est un artiste canadien qui s'est grandement fait connaître par ses peintures de la vie sauvage.

Né en Suisse et arrivé au Canada à l'âge de 14 ans, René Richard part vivre à 18 ans comme coureur des bois dans le nord de l'Alberta. Il traversera ainsi durant treize ans une grande partie du Grand Nord canadien à pied, en canot ou en raquettes.

Inspirée par cette époque, mais aussi par plusieurs autres séjours dans le Grand Nord, son œuvre comporte beaucoup de scènes de la vie de trappeur, qui ne sont pas très éloignées des aventures vécues par les personnages de ce livre.

Bien que cette peinture date de 1959, elle pourrait très bien figurer une scène vécue par Rémi et Luc-John.

Pour en savoir plus sur René Richard

http://www.ameriquefrancaise.org/fr/article-386/René_Richard,_peintre_paysagiste.html#.VDWatL5DDZ8

Pour voir d'autres œuvres du peintre

www.renerichardcollections.com

Table des matières

14/18

Collection dirigée par Renée Joyal

BÉLANGER, Pierre-Luc. *24 heures de liberté*, 2013.

FORAND, Claude. *Ainsi parle le Saigneur* (polar), 2007.

FORAND, Claude. *On fait quoi avec le cadavre ?* (nouvelles), 2009.

FORAND, Claude. *Un moine trop bavard* (polar), 2011.

FORAND, Claude. *Le député décapité* (polar), 2014.

LAFRAMBOISE, Michèle. *Le projet Ithuriel*, 2012.

LAROCQUE, Jean-Claude et Denis SAUVÉ. *Étienne Brûlé. Le fils de Champlain* (Tome 1), 2010.

LAROCQUE, Jean-Claude et Denis SAUVÉ. *Étienne Brûlé. Le fils des Hurons* (Tome 2), 2010.

LAROCQUE, Jean-Claude et Denis SAUVÉ. *Étienne Brûlé. Le fils sacrifié* (Tome 3), 2011.

LAROCQUE, Jean-Claude et Denis SAUVÉ. *John et le Règlement 17*, 2014.

MALLET-PARENT, Jocelyne. *Le silence de la Restigouche*, 2014.

MARCHILDON, Daniel. *La première guerre de Toronto*, 2010.

OLSEN, K.E. *Élise et Beethoven*, 2014.

PÉRIÈS, Didier. *Mystères à Natagamau. Opération Clandestino*, 2013.

RENAUD, Jean-Baptiste. *Les orphelins. Rémi et Luc-John* (Tome 1), 2014.

ROYER, Louise. *iPod et minijupe au 18e siècle*, 2011.

ROYER, Louise. *Culotte et redingote au 21e siècle*, 2012.

Imprimé sur papier Silva Enviro
100 % postconsommation
traité sans chlore, accrédité Éco-Logo
et fait à partir de biogaz.

Couverture 30 % de fibres postconsommation
Certifié FSC®. Fabriqué à l'aide d'énergie renouvelable,
sans chlore élémentaire, sans acide.

Couverture : René Richard
À l'orée des bois – Trappeur et canot (ca 1959)
Courtoisie <www.renerichardcollections.com>
Photographie de l'auteur : Jeannine Clément photographe
Maquette et mise en pages : Anne-Marie Berthiaume
Révision : Frèdelin Leroux

Achevé d'imprimer en novembre 2014
sur les presses de Marquis Imprimeur
Montmagny (Québec) Canada